LOS 100
alimentos
más sanos

LOS 100

alimentos
más sanos

Cien nutritivas recetas con los superalimentos definitivos
para disfrutar de una vida sana

Creado y producido por Ivy Contract
Asesoramiento a cargo de: Judith Wills
Fotografías nuevas de: Clive Streeter

Copyright © de la edición en español (2009)
Parragon Books Ltd
Queen Street House
4 Queen Street
Bath BA1 1HE
Reino Unido

Traducción del inglés: Carlos Chacón Zabalza y Gemma Deza Guil para LocTeam, Barcelona
Redacción y maquetación de la edición en español: LocTeam, Barcelona

ISBN 978-1-4075-9546-7

Impreso en China
Printed in China

Notas para el lector

En este libro se utiliza el sistema de medición métrico. Todas las cucharadas utilizadas como unidad son rasas: una cucharadita equivale a 5 ml y una cucharada a 15 ml. Si no se indica lo contrario, la leche que se utiliza es entera; los huevos y las hortalizas, como por ejemplo las patatas, son de tamaño mediano, y la pimienta es negra y recién molida.

Los tiempos de preparación de las recetas son aproximados, ya que pueden variar en función de las técnicas empleadas por cada persona. Del mismo modo, los tiempos de cocción pueden diferir ligeramente de los especificados en función del horno empleado. Los ingredientes opcionales, las variaciones y las sugerencias de presentación no se han contabilizado en el cálculo de los tiempos.

Se desaconsejan las recetas que contienen huevos crudos o poco hechos para niños, ancianos, embarazadas y personas convalecientes o enfermas. Asimismo, las embarazadas y madres lactantes deben abstenerse de comer frutos secos y productos derivados, así como carnes y pescados ahumados o curados, y productos lácteos sin pasteurizar. Se alerta a las personas con alergias a los frutos secos que algunos ingredientes que se compran preparados usados en las recetas de este libro pueden contener frutos secos; verifique siempre el envase antes de utilizarlos.

tabla **de** equivalencias

Las equivalencias exactas de la siguiente tabla han sido redondeadas por conveniencia.

medidas de líquidos/sólidos

sistema imperial (EE.UU.)	sistema métrico
1/4 cucharadita	1,25 mililitros
1/2 cucharadita	2,5 mililitros
3/4 cucharadita	4 mililitros
1 cucharadita	5 mililitros
1 cucharada (3 cucharaditas)	15 mililitros
1 onza (de líquido)	30 mililitros
1/4 taza	60 mililitros
1/3 taza	80 mililitros
1/2 taza	120 mililitros
1 taza	240 mililitros
1 pinta (2 tazas)	480 mililitros
1 cuarto de galón (4 tazas)	950 mililitros
1 galón (4 cuartos)	3,84 litros
1 onza (de sólido)	28 gramos
1 libra	454 gramos
2,2 libras	1 kilogramo

temperatura del horno

Fahrenheit	Celsius	gas
225	110	1/4
250	120	1/2
275	140	1
300	150	2
325	160	3
350	180	4
375	190	5
400	200	6
425	220	7
450	230	8
475	240	9

longitud

sistema imperial (EE.UU.)	sistema métrico
1/8 pulgada	3 milímetros
1/4 pulgada	6 milímetros
1/2 pulgada	1,25 centímetros
1 pulgada	2,5 centímetros

CONTENIDO

INTRODUCCIÓN

Todos queremos comer bien. *Los 100 alimentos más sanos* es el libro ideal para cualquiera que desee saber de verdad qué alimentos son los más saludables y por qué.

Hoy en día, todos entendemos la importancia de alimentarnos de manera sana. Comer bien ayuda a nuestros hijos a crecer sanos y fuertes. Los alimentos saludables pueden reforzar nuestro sistema inmunitario y protegernos del cáncer, la diabetes y las enfermedades cardiovasculares. Pero lo principal es que una dieta sana contribuye a que nuestro organismo funcione como un reloj todo el día: estimula nuestra función cerebral, aumenta nuestros niveles energéticos y nos ayuda a relajarnos y a dormir bien.

¿Qué se entiende por comida sana?

A causa del aluvión de información contradictoria que nos sepulta, en ocasiones cuesta saber con certeza qué alimentos componen realmente una dieta sana. Este libro estudia alimentos con beneficios contrastados para la salud o frente a la enfermedad. Las virtudes de cada uno de ellos se han corroborado en pruebas realizadas en todo el mundo a lo largo de los años.

Por «alimento sano» entendemos uno con un contenido superior a la media en vitaminas y minerales importantes (y en ocasiones difíciles de conseguir) o en una gama de sustancias químicas de origen vegetal y otros compuestos nutritivos recién descubiertos e igualmente convenientes cuyo beneficio para la salud han

certificado los estudios efectuados. Por lo común se tratará
de alimentos situados en la franja superior de la escala de la
capacidad de absorción de radicales libres (ORAC), una tabla
que mide la capacidad antioxidante de los alimentos vegetales
para neutralizar los radicales libres y prevenir enfermedades.
Los alimentos sanos también deben tener niveles bajos o nulos
de sal, azúcar, grasas saturadas y grasas *trans*, con frecuencia
asociados a un mayor riesgo de mala salud y enfermedad.

La importancia de una dieta variada

Por definición, un listado de cien alimentos no puede ser definitivo.
Existen muchos otros sanos y nutritivos, pero había que acotar la
lista. El hecho de que su hortaliza, fruta o legumbre preferida no
forme parte de ella no implica que no sea beneficiosa.

Para la mayoría de las personas, una dieta sana incluye entre
5 y 7 raciones de hortalizas y frutas al día (una buena proporción
es 3 o 4 hortalizas y 2 o 3 frutas), de 2 a 3 raciones de cereales
integrales, como cebada, arroz y avena, y 2 o 3 porciones de
proteína magra, como pollo sin piel, yogur desnatado, lentejas o
carne de cangrejo. También debería incluir una cantidad regular de
pescado azul, frutos secos y semillas, aceites vegetales, hierbas
aromáticas y especias.

Recuerde: ningún alimento por sí solo aporta salud. El objetivo
es llevar una dieta variada y equilibrada. Ello implica incorporar
muchos de los alimentos de este libro a su alimentación cotidiana
y buscar variaciones a diario. Las recetas incluidas en este
volumen le darán ideas para combinar varios alimentos y disfrutar
de todas las comidas del día: desde el desayuno hasta el postre.

La información incluida en *Los 100 alimentos más sanos* le
ayudará a diseñar su propia dieta ideal le descubrirá el maravilloso
mundo de los alimentos sanos y naturales.

1

FRUTA

Rica en vitamina C, antioxidantes y fibra, la fruta ofrece multitud de beneficios para la salud. Además, la fruta es una excelente fuente de energía. La fruta puede añadirse prácticamente a cualquier plato o tomarse a modo de tentempié sano a lo largo del día.

(V) Adecuado para vegetarianos

(D) Ideal para personas a dieta

(E) Adecuado para embarazadas

(N) Adecuado para niños mayores de 5 años

(R) Rápido de preparar y cocinar

01 MANZANA

Investigaciones científicas apuntan a que el viejo refrán de «Una manzana al día, del médico te libraría» puede ser cierto.

La manzana no contiene ninguna vitamina o mineral concreto, salvo potasio, pero sí elevados niveles de sustancias químicas vegetales, como la quercetina, un flavonoide anticancerígeno y antiinflamatorio. También es una valiosa fuente de pectina, una fibra soluble que reduce el colesterol «malo» y previene el cáncer de colon. Los estudios científicos han revelado que los adultos que comen manzanas tienen una cintura más esbelta, menos grasa abdominal y una presión sanguínea más baja. Además, la manzana puede prevenir el asma infantil y apenas contiene grasas.

- Es rica en flavonoides, que mantienen el corazón y los pulmones sanos.
- Constituye un tentempié ideal para personas a dieta: es baja en calorías, posee un bajo índice glucémico (IG) y mata el hambre.
- Posee un alto contenido en fibra con pectinas, que mejora el perfil de lípidos en sangre y reduce el colesterol «malo».
- Es una fuente de potasio, que previene la retención de líquidos.

Consejos prácticos:
Para evitar que las manzanas pierdan la vitamina C, no las exponga al sol ni al calor. Guárdelas en una bolsa de plástico con orificios, en el frigorífico o en un armario fresco y oscuro. Cómase la piel, pues contiene cinco veces más sustancias químicas vegetales que la pulpa. Para evitar que se oxiden al manipularlas, ponga las rodajas cortadas en un bol con agua y 1 o 2 cucharadas de zumo de limón.

¿SABÍA QUE...?
Se ha vinculado la quercetina (encontrada en las manzanas) con la protección frente al alzheimer.

VALOR NUTRITIVO DE UNA MANZANA DE TAMAÑO MEDIANO

Kcal	60
Grasas totales	Inapreciables
Proteínas	Inapreciables
Carbohidratos	16 g
Fibra	2,8 g
Vitamina C	5 mg
Potasio	123 mg

Manzanas rellenas al horno

4 PERSONAS ⓥ ⓓ ⓔ ⓝ ⓡ

2½ cucharadas colmadas de
   almendras blanqueadas

85 g de orejones de albaricoque
   (chabacano, damasco)
   rehidratados

1 trozo de jengibre en conserva y
   1 cucharada del almíbar

1 cucharada de miel

4 cucharadas de copos de avena

4 manzanas para asar grandes

Preparación

1 Precaliente el horno a 180 °C.
   Con un cuchillo afilado,
   pique muy finos los orejones,
   las almendras y el jengibre.
   Resérvelos.

2 En un cazo, ponga la miel y
   el almíbar al fuego hasta que
la miel se funda. Incorpore
la avena y cuézala a fuego
lento 2 minutos. Retire el
cazo del fuego e incorpore las
almendras, los orejones y el
jengibre, sin dejar de remover.

3 Quíteles el corazón a las
manzanas, ensanche la
abertura superior ligeramente
y haga un corte horizontal
alrededor para impedir
que la piel reviente durante
la cocción. Disponga las
manzanas en una bandeja
refractaria e introduzca el
relleno en las cavidades.
Vierta agua en la bandeja
hasta cubrir el tercio inferior
de las manzanas. Áselas
en el horno precalentado
durante 40 minutos o hasta
que queden tiernas. Sírvalas
de inmediato.

02 AGUACATE

El aguacate es una rica fuente de grasas monoinsaturadas, es bueno para el corazón y está repleto de nutrientes importantes.

El aguacate posee un alto contenido en grasas, pero en su gran mayoría son monoinsaturadas. El ácido oleico de los monoinsaturados reduce el riesgo de padecer cáncer de mama, así como los niveles de colesterol «malo» en sangre. El aguacate posee muchos nutrientes, entre ellos vitaminas C, E y B6, folato, hierro, magnesio, potasio y sustancias químicas antioxidantes como el betasitosterol, que ayuda a reducir el colesterol en sangre, y el glutatión, que protege frente al cáncer.

- Su alto contenido en vitamina E refuerza el sistema inmunitario, mantiene la piel sana y ayuda a prevenir las cardiopatías.
- Su contenido en luteína previene las cataratas oculares y la degeneración macular.
- Su alto contenido en grasas monoinsaturadas reduce el colesterol.
- Es una buena fuente de magnesio, que mantiene el corazón sano.

Consejos prácticos:

Escoja aguacates con la piel sin dañar y sin puntos blandos. Para comprobar que está en su punto, presione ligeramente con el pulgar: la pulpa debería ceder ligeramente. Para que maduren más rápido, guárdelos en una bolsa de papel con un plátano. A la hora de prepararlos, córtelos a lo largo hasta el hueso y gire ambas mitades en sentido contrario para separarlas. Extraiga el hueso con un cuchillo. Una vez cortados, sumérjalos en un aderezo de zumo de limón y vinagre o en vinagreta para evitar que se oxiden.

¿SABÍA QUE...?

El aceite de aguacate virgen extra es fácil de encontrar. Úselo para asar, para aderezar ensaladas o para servirlo con pan crujiente.

VALOR NUTRITIVO DE UN AGUACATE DE TAMAÑO MEDIANO

Kcal	240
Grasas totales	3 g
Proteínas	22 g
Carbohidratos	12,8 g
Fibra	5 g
Vitamina C	9 mg
Potasio	728 mg
Vitamina E	3 mg

Paté de aguacate picante

4 PERSONAS Ⓥ Ⓔ Ⓝ Ⓡ

2 aguacates (paltas) grandes
el zumo (jugo) de 1 o 2 limas
2 dientes de ajo grandes majados
1 cucharadita de guindilla (chile) en
 polvo suave, o al gusto
sal y pimienta

Preparación

1 Corte los aguacates por la mitad. Retire la piel y los huesos
 y deséchelos.

2 Eche la pulpa del aguacate en un robot de cocina con el zumo de
 1 o 2 limas, al gusto. Agregue el ajo y la guindilla en polvo y tritúrelo
 todo hasta obtener una mezcla homogénea.

3 Traslade el paté a un bol grande, salpiméntelo al gusto y sírvalo.

03

UVA

La uva es rica en polifenoles, que protegen nuestro corazón, estimulan la circulación y ayudan a reducir el colesterol, además de tener propiedades antimicóticas.

Todas las variedades de uva contienen compuestos beneficiosos, principalmente polifenoles, y la mayoría de ellos se encuentran en la piel. Las variedades negras, moradas y rojas poseen niveles mucho más elevados de quercetinas y antocianinas (los pigmentos oscuros), flavonoides que ayudan a prevenir el cáncer, las cardiopatías y las enfermedades cardiovasculares. Los beneficios antioxidantes de las uvas más claras se deben a su contenido en catequina.
El resveratrol, otro antioxidante presente en las uvas, se ha relacionado con la prevención o inhibición del cáncer, las cardiopatías, las enfermedades degenerativas del sistema nervioso y las infecciones víricas, y podría estar asociado a la protección frente al *alzheimer*.

• Es una rica fuente de polifenoles, para la prevención del cáncer y un sistema cardiovascular sano.
• La quercetina mejora el perfil del colesterol en sangre y presenta una acción anticoagulante.
• Tiene acción antivírica y antimicótica.
• Es una buena fuente de vitamina C.

Consejos prácticos:
Lave las uvas antes de comerlas (pueden haber sido rociadas con pesticidas) y guárdelas en el frigorífico o en una estancia fresca y seca para conservar la vitamina C e impedir que se deterioren. Si va a utilizarlas para hacer un postre, córtelas en el último momento para evitar que se estropeen por la cara cortada.

¿SABÍA QUE…?
Más del 70 % de la producción mundial de uva se usa para vino, el 27 % para su venta como fruta fresca y el 2 % para elaborar uvas pasas.

VALOR NUTRITIVO DE 100 G DE UVAS

Kcal	70
Grasas totales	Inapreciables
Proteínas	0,7 g
Carbohidratos	18 g
Fibra	0,9 g
Vitamina C	10,8 mg
Potasio	191 mg

Espuma blanca de limón y uva

2 PERSONAS　Ⓥ Ⓓ Ⓔ Ⓝ Ⓡ

250 g de uvas blancas,
　despepitadas, y unas cuantas
　más para decorar
200 ml de agua mineral con gas
2 cucharadas grandes de yogur
　griego natural congelado
1½ cucharadas de limonada
　concentrada congelada

Preparación

1　Ponga las uvas, el agua, el yogur y la limonada en un robot de
　cocina y bátalo todo hasta obtener una mezcla homogénea.

2　Vierta la espuma en vasos, decórela con unas cuantas uvas
　y sírvala.

04

HIGO

Los higos, tanto secos como frescos, tienen un alto contenido en fibra y hierro, aportan energía y sanean la sangre.

VALOR NUTRITIVO POR HIGO FRESCO

Kcal	47
Grasas totales	Inapreciables
Proteínas	0,5 g
Carbohidratos	12,3 g
Fibra	1,9 g
Vitamina C	1,3 mg
Potasio	148 mg
Betacaroteno	54 mcg
Calcio	22 mg
Magnesio	11 mg

VALOR NUTRITIVO DE 100 G DE HIGOS SECOS

Kcal	210
Grasas totales	Inapreciables
Proteínas	0,5 g
Carbohidratos	12,3 g
Fibra	7 g
Vitamina C	1,3 mg
Potasio	148 mg
Betacaroteno	54 mcg
Calcio	22 mg
Magnesio	11 mg

Los higos suelen venderse secos, puesto que los frescos se dañan con facilidad y tienen una fecha de caducidad muy corta. Esta deliciosa fruta contiene importantes cantidades de fibra, en su mayoría soluble, la cual protege de las cardiopatías. Los higos son además una excelente fuente de minerales y vitamina B6, además de poseer pequeñas cantidades de otras vitaminas B, folato y varias vitaminas y minerales adicionales. Los higos secos son una fuente concentrada de potasio, además de ser ricos en calcio, magnesio y hierro. Ahora bien, su contenido calórico es elevado, por lo que conviene comerlos con moderación.

- Contiene esteroles, que ayudan a reducir el colesterol en sangre.
- Es una buena fuente de azúcares y energía natural.
- Es una buena fuente de potasio, que ayuda a prevenir la retención de líquidos.
- Los higos secos son una fuente excelente de hierro, que mantiene la sangre sana, y de calcio, que refuerza la masa ósea.

Consejos prácticos:
Los higos frescos se deterioran rápidamente, de modo que conviene comerlos el día que se compran o se recogen. Lo mejor es consumirlos tal cual, pero también van bien con jamón, como tentempié o como postre. La piel de algunas variedades es comestible; otras hay que pelarlas.

Higos asados a la miel con sabayón

4 PERSONAS   (V) (N) (R)

*8 higos frescos maduros cortados
    por la mitad*
4 cucharadas de miel
*las hojas de 2 ramitas de romero
    fresco bien picaditas (opcional)*
⸛ ⸛⸛⸛⸛⸛

Preparación

1 Precaliente el grill a fuego
vivo. Disponga los higos, con
la cara cortada hacia arriba,
sobre la parrilla. Píntelos con la
mitad de la miel y esparza por
encima el romero (si lo usa).

2 Áselos bajo el grill precalentado de 5 a 6 minutos o hasta
que empiecen a caramelizarse.

3 Entre tanto, elabore el sa-
bayón. En un bol refractario
grande, bata ligeramente los

huevos con el resto de la miel.
Coloque luego el bol sobre
un cazo de agua hirviendo.
Con una batidora eléctrica de
mano, bata los huevos y la
miel unos 10 minutos, hasta
obtener una mezcla clara y
densa.

4 Disponga 4 mitades de higo
en 4 platillos, añada una
cucharada generosa de crema
y sírvalos de inmediato.

05

ALBARICOQUE

Los albaricoques, frescos o secos, son muy nutritivos y tienen un índice glucémico bajo, lo cual los convierte en un alimento ideal para las personas golosas a dieta.

Los albaricoques frescos contienen vitamina C, folato, potasio y vitamina E. Su elevado contenido en betacaroteno, un importante antioxidante, ayuda a prevenir algunos tipos de cáncer. También son ideales para mantener el peso, pues son una buena fuente de fibra y no contienen grasas. Los albaricoques semisecos rehidratados aportan potasio y hierro, si bien el proceso de secado disminuye su contenido en vitamina C y carotenos. Los albaricoques secos, al contener menos agua, tienen más calorías que los frescos, pero son ideales como tentempié energético.

- Contienen varios carotenos: betacaroteno, que previene el cáncer; luteína y zeaxantina, para una vista sana, y criptoxantina, que ayuda a mantener los huesos sanos.
- Tienen un alto contenido en fibras totales y solubles, que ayudan a mantener una circulación y un corazón sanos.
- Son una excelente fuente de potasio.

Consejos prácticos:

Los albaricoques frescos maduros poseen mayor contenido en carotenos. Cocerlos ayuda a absorber mejor el caroteno y las fibras solubles. Los albaricoques frescos son excelentes en *crumbles* de frutas o cocidos al vino blanco. Al comprar orejones, elija variedades orgánicas, pues no contienen dióxido de azufre, al cual algunas personas son alérgicas. Los orejones combinan con cuscús y ensaladas, o pueden cocerse y servirse con yogur.

¿SABÍA QUE...?

Los albaricoques de Hunza son secos y crecen de manera silvestre en el valle de Hunza, en Cachemira (India). Se dejan secar en el árbol y deben cocerse antes de su ingesta.

VALOR NUTRITIVO DE 2 ALBARICOQUES FRESCOS MEDIANOS

Kcal	31
Grasas totales	Inapreciables
Proteínas	0,9 g
Carbohidratos	7,2 g
Fibra	1,7 g
Vitamina C	6 mg
Potasio	766 mcg
Betacaroteno	766 mcg
Hierro	0,5 mg

VALOR NUTRITIVO DE 3 ALBARICOQUES SEMISECOS (30 G)

Kcal	47
Grasas totales	Inapreciables
Proteínas	1,2 g
Carbohidratos	10,8 g
Fibra	1,9 g
Vitamina C	Inapreciable
Potasio	414 mg
Betacaroteno	163 mcg
Hierro	1 mg

Batido de albaricoque

1-2 PERSONAS Ⓥ Ⓓ Ⓔ Ⓝ Ⓡ

6 albaricoques

1 naranja

1 tallo de hierba limón (lemongrass)
fresca

un trozo de 2 cm de jengibro
fresco pelado

Preparación

1 Corte por la mitad los albaricoques y descárocelos. Monde la
naranja, conservando parte de la piel blanca. Trocee la hierba limón.

2 Eche los albaricoques, la naranja, la hierba limón y el jengibre en la
licuadora y licúelos. Vierta el batido en vasos altos y sírvalo

06 MANGO

El mango es una superestrella nutritiva entre las frutas, pues es muy rico en antioxidantes y vitaminas C y E.

Los mangos crecen en los trópicos. Su carne anaranjada contiene más betacaroteno antioxidante, que protege frente a algunos cánceres y cardiopatías, que la mayoría de las frutas. Son ricos en vitamina C (una sola pieza puede superar el aporte diario recomendado) y en fibra. A diferencia de la mayor parte de las frutas, también contienen una cantidad considerable de vitamina E antioxidante, que refuerza el sistema inmunitario y ayuda a lucir una piel sana. Su índice glucémico, entre medio y bajo, los convierte en una fruta ideal para las personas a dieta, pues ayuda a regular los niveles de azúcar en sangre.

- Posee elevados niveles de pectina, una fibra soluble que ayuda a reducir el colesterol «malo» en sangre.
- Es rico en potasio (320 mg por pieza), que regula la presión sanguínea.
- Es una fuente valiosa de vitamina C.

Consejos prácticos:
Si compra mangos verdes, póngalos en una bolsa de papel y guárdelos en un lugar oscuro varios días para que maduren. Los mangos crudos aportan más cantidad de vitamina C. También pueden comerse con algo que contenga grasa, como yogur, o en una ensalada aderezada con aceite de oliva, para absorber mejor los carotenos.

¿SABÍA QUE...?
Los mangos contienen una enzima especial que puede ayudar a la digestión, además de ablandar la carne.

VALOR NUTRITIVO DE UN MANGO DE TAMAÑO MEDIANO

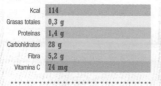

Kcal	114
Grasas totales	0,3 g
Proteínas	1,4 g
Carbohidratos	28 g
Fibra	5,2 g
Vitamina C	74 mg

Salsa de mango y tomate

4-6 PERSONAS ⓥ ⓓ ⓔ ⓝ ⓡ

6 tomates maduros medianos

1 cucharada de aceite de oliva

1 cebolla bien picadita

1 mango grande cortado por la mitad, sin hueso, pelado y hecho dados

2 cucharadas de cilantro fresco picado

sal y pimienta

nachos, para acompañar

Preparación

1 Ponga los tomates en una fuente. Cúbralos con agua hirviendo y déjelos reposar durante 1 minuto. Sáquelos del agua y, con un cuchillo, hágales un corte en la piel y pélelos. Córtelos en cuartos. Luego extraiga el corazón y las semillas y deséchelos. Trocee el resto de la pulpa y póngala en un bol grande.

2 Caliente el aceite en una sartén. Eche la cebolla y sofríala hasta que esté tierna. Incorpórela al bol de tomate con el mango y el cilantro. Salpimiente la salsa al gusto y sírvala acompañada de nachos.

07

PERA

Esta fruta, conocida por ser hipoalergénica, es antibiótica y posee un alto contenido en fibra y antioxidantes, que ayudan a prevenir el cáncer y la gastroenteritis.

El cultivo de la pera se remonta a hace 3.000 años en el oeste de Asia y existen indicios de que su descubrimiento se sitúa en la Edad de Piedra. Las peras son parientes cercanos de las manzanas y existen muchas variedades. Las investigaciones demuestran que, en comparación con otras frutas, la ingesta de peras provoca menos reacciones adversas o alérgicas, lo que las hace ideales como la primera fruta para los bebés. Contienen un amplio abanico de nutrientes valiosos y fibra en abundancia, que ayuda a mantener un colon sano.

- Es segura para la mayoría de los niños y personas alérgicas.
- Constituye una buena fuente de nutrientes, entre ellos vitamina C y potasio.
- Contiene ácidos hidroxicinámicos, antioxidantes, anticancerígenos y antibacterianos, y ayuda a prevenir la gastroenteritis.

Consejos prácticos:

Las peras no maduran bien en el peral; de ahí que las que se encuentran a la venta tiendan a estar algo verdes. Guárdelas en una estancia fresca o moderadamente cálida y, una vez maduras, cómalas el mismo día, porque se pasan en seguida. Las peras se ponen marrones muy fácilmente; para evitarlo, rocíe las caras cortadas con unas gotas de zumo de limón. Además de ser un tentempié o postre ideal, son muy versátiles y pueden hornearse, saltearse, escaldarse y utilizarse en compotas, *crumbles* y tartas de fruta.

¿SABÍA QUE...?

La mayoría de la fibra de las peras se encuentra en la piel, de ahí que lo mejor sea lavarlas y comerlas sin pelar.

VALOR NUTRITIVO DE UNA PERA DE TAMAÑO MEDIANO

Kcal	60
Grasas totales	Inapreciables
Proteínas	0,5 g
Carbohidratos	15 g
Fibra	3,3 g
Vitamina C	9 mg
Potasio	225 mg

Peras aromáticas

4 PERSONAS (V) (D) (E) (N)

4 peras maduras pero duras,
   de unos 140 g cada una

2 cucharadas de zumo (jugo)
   de limón

1 cucharada de miel, o al gusto

1 jalapeño rojo fresco cortado por
   la mitad y despepitado

2 piezas de anís estrellado

1 ramita de canela majada

1 tallo de hierba limón
   (lemongrass) majado

1 trozo de 1 cm de jengibre fresco
   pelado y cortado en rodajas

2 clavos de olor
   enteros

4 hojas de laurel
   frescas

325 ml de agua

Preparación

1 Con un pelapatatas, pele las peras lo más finamente posible, dejando el rabito intacto. Si es necesario, corte una rodaja fina de la base de las peras para que se aguanten de pie. Póngalas en una fuente grande, vierta por encima el zumo de limón y cúbralas con agua.

2 Vierta la miel en una cazuela con tapadera. Incorpore el jalapeño, el anís, la ramita de canela, la hierba limón, el jengibre, los clavos, el laurel y el agua. Deje el fuego y hiérvalo todo a fuego lento 5 minutos, removiendo de vez en cuando, hasta que la miel se disuelva.

3 Escurra las peras y añádalas a la cazuela. Cuando el agua esté a punto de romper a hervir, reduzca el fuego y tápela.

4 Cuézalas entre 15 y 20 minutos, hasta que estén tiernas. Retire la cazuela del fuego y deje que las peras se enfríen en el almíbar. Una vez frías, extráigalas de la cazuela con una espumadera y dispóngalas en una fuente de servir.

5 Devuelva el almíbar al fuego y llévelo a ebullición. Déjelo hervir de 5 a 8 minutos, hasta que se haya reducido a la mitad y espesado. Déjelo enfriar 5 o 10 minutos, viértalo sobre las peras y sírvalas.

08 PAPAYA

La tropical papaya tiene un elevadísimo contenido en carotenos, relacionados con la prevención del cáncer y unos pulmones y una vista sanos.

La pulpa de la papaya posee un alto contenido en fructosa (azúcares de la fruta) y es relativamente alta en calorías, cosa que la convierte en un excelente postre o tentempié para saciar el hambre. También posee multitud de carotenos, que ayudan a prevenir el cáncer, y es una buena fuente de fibra. Asimismo, se trata de una de las frutas más ricas en potasio y en calcio. La papaya posee además un contenido sumamente alto en vitamina C y es una fuente considerable de magnesio y vitamina E. Contiene la enzima papaína, que descompone las proteínas y ablanda la carne.

¿SABÍA QUE...?

Las semillas de la papaya horneadas a fuego bajo se usan como granos de pimienta.

VALOR NUTRITIVO DE UNA PAPAYA DE TAMAÑO MEDIANO

Kcal	120
Grasas totales	0,4 g
Proteínas	1,5 g
Carbohidratos	30 g
Fibra	5,5 g
Vitamina C	180 mg
Potasio	780 mg
Betacaroteno	839 mcg
Betacriptoxantina	2.313 mcg
Magnesio	30 mg
Luteína/Zeaxantina	228 mcg

- Es rica en betacaroteno, para la prevención del cáncer de próstata.
- Es una buena fuente de luteína y zeaxantina, carotenos que protegen la vista de la degeneración macular.
- Es rica en betacriptoxantina, que contribuye a tener unos pulmones sanos y a prevenir la artritis.
- Constituye una excelente fuente de vitamina C y fibra.
- Su alto contenido en fibras solubles reduce la absorción del azúcar y ayuda a controlar los niveles de azúcar en sangre.

Consejos prácticos:

La piel de las papayas maduras es más naranja que verde. Pueden añadirse a la cazuela para ablandar la carne. En las macedonias, échalas justo antes de servir, ya que la papaína puede reblandecer otras frutas. La papaína impide la coagulación de la gelatina. Para potenciar el sabor de la papaya, rocíela con zumo de lima.

Batido de papaya y plátano

2 PERSONAS (V) (D) (E) (N) (R)

1 papaya (mamón)

el zumo (jugo) de 1 lima

1 plátano (banana) grande

375 ml de zumo (jugo) de naranja
recién exprimido

¼ cucharadita de jengibre molido

Preparación

1 Corte la papaya por la mitad y, con una cuchara, extraiga las pepitas negras; deséchelas. Utilice la cuchara para extraer también la pulpa y píquela en trozos grandes; luego empápela en el zumo de lima. Pele el plátano y córtelo en rodajas.

2 Eche la papaya, el plátano, el zumo de naranja y el jengibre en una licuadora y licúelo todo bien. Vierta el batido en vasos fríos y sírvalo.

09 NARANJA

La vitamina C, la vitamina antioxidante que refuerza el sistema inmunitario y protege del envejecimiento, se encuentra en abundancia en las naranjas.

Las naranjas son una de las fuentes más baratas de vitamina C, que protege del daño celular, del envejecimiento y de la enfermedad. Aportan fibra, folato y potasio, así como calcio, vital para el mantenimiento de los huesos. Contienen los carotenos zeaxantina y luteína, que ayudan a conservar una buena vista y protegen de la degeneración macular. También contienen rutina, un flavonoide que ayuda a ralentizar o evitar la aparición de tumores, y nobiletina, un compuesto antiinflamatorio. Todas estas sustancias de origen vegetal potencian la función de la vitamina C.

- Ayuda a prevenir las infecciones, y la gravedad y duración de los resfriados puede rebajarse aumentando la ingesta de vitamina C.
- Las naranjas son de las pocas frutas con un bajo índice glucémico y, por lo tanto, ideales para personas a dieta y diabéticos.
- Contiene una gran cantidad de pectina, una fibra soluble que ayuda a controlar los niveles de colesterol en sangre.
- Su poder antiinflamatorio reduce la incidencia de la artritis.
- Las naranjas sanguinas poseen más antioxidantes en los pigmentos de antocianina roja, asociados con la prevención del cáncer.

Consejos prácticos:
Compre naranjas pesadas para su tamaño, pues ello indica que serán jugosas y frescas. Guárdelas en el frigorífico para conservar la vitamina C. La piel de la naranja contiene muchos nutrientes, pero debe frotarse y dejarse secar antes de su uso.

¿SABÍA QUE...?
Además de la pulpa, es recomendable comerse la piel blanca de la naranja, porque posee un alto contenido en fibra, sustancias químicas vegetales útiles y antioxidantes.

VALOR NUTRITIVO DE UNA NARANJA DE TAMAÑO MEDIANO

Kcal	65
Grasas totales	**Inapreciables**
Proteínas	1 g
Carbohidratos	16 g
Fibra	3,4 g
Vitamina C	64 mg
Potasio	238 mg
Calcio	61 mg
Luteína/Zeaxantina	182 mcg

Salteado de naranja y zanahoria

4 PERSONAS (V) (D) (N) (R)

2 cucharadas de aceite de
    cacahuete (aceite de maní)

450 g de zanahorias ralladas

225 g de puerros en juliana

2 naranjas peladas y separadas
    en gajos

2 cucharadas de ketchup

1 cucharada de azúcar moreno
    (azúcar negro)

2 cucharadas de salsa de soja
    (soya) clara

125 g de cacahuetes (maníes)
    picados

Preparación

1 Caliente un *wok* grande a
fuego vivo 30 segundos.
Vierta el aceite y hágalo girar
para cubrir el fondo; caliéntelo
30 segundos. Eche la zanahoria y el puerro y saltéelos
2 o 3 minutos o hasta que
las hortalizas queden tiernas
pero firmes.

2 Incorpore la naranja al *wok* y saltéela a fuego lento, con cuidado
de no romper los gajos al
remover.

3 Mezcle el ketchup, el azúcar
y la salsa de soja en un bol
pequeño. Incorpore la salsa de
ketchup al *wok* y saltéelo todo
dos 2 minutos.

4 Transfiera el salteado a 4 boles
templados y esparza por encima los cacahuetes picados.
Sirva de inmediato.

10 PIÑA

Un compuesto encontrado en la piña puede aliviar el dolor de la artritis y se estudia si podría prevenir los derrames cerebrales.

La piña se usa desde hace mucho tiempo como planta medicinal en diversas partes del mundo, sobre todo en las Américas. Aparte de ser una excelente fuente de vitamina C y otras vitaminas y minerales, contiene una sustancia activa conocida como bromelina. Se ha demostrado que esta proteína alivia la inflamación relacionada con la artritis y el dolor de las articulaciones y podría ayudar a reducir la incidencia de trombos, causantes de apoplejías e infartos. Por desgracia, el corazón, incomestible, es la fuente más rica en bromelina, pero la pulpa también contiene pequeñas cantidades.

- Facilita la digestión y alivia la artritis y el dolor de las articulaciones.
- Reduce el riesgo de aparición de coágulos sanguíneos.
- Es una excelente fuente de vitamina C antioxidante.
- Es una buena fuente de ácido ferúlico, que ayuda a prevenir el cáncer.

¿SABÍA QUE...?

La bromelina presente en la piña ablanda la carne: use unas cucharadas de zumo y agréguelas a los currys y estofados de carne.

VALOR NUTRITIVO DE UNA RODAJA DE PIÑA DE TAMAÑO MEDIANO

Kcal	40
Grasas totales	Inapreciables
Proteínas	0,5 g
Carbohidratos	10,6 g
Fibra	1,2 g
Vitamina C	30 mg
Potasio	97 mg
Magnesio	10 mg

Consejos prácticos:

En las piñas maduras, las hojas se desprenden fácilmente. Para prepararlas, corte el penacho y una pequeña rodaja en la base, haga rodajas la pulpa y elimine los «ojos». Una vez en rodajas, retire el corazón duro. No utilice piña fresca con gelatina, puesto que la enzima de la bromelina impide que cuaje. La piña enlatada no contiene bromelina, pero conserva gran parte de la vitamina C. Sirva la piña sola, con cereales o yogur en el desayuno, o cocida en azúcar moreno y mantequilla a modo de postre.

Piña a la parrilla con yogur de avellanas

4-6 PERSONAS (V) (D) (E) (N) (R)

1 piña (ananá) fresca
aceite de girasol, para pintar
165 ml de yogur (yoghurt)
   griego semidesnatado
   (semidescremado)
200 g de avellana, peladas y
   picadas toscamente

Preparación

1 Corte el penacho de la piña
y deséchelo. Corte la piña en
rodajas de 2 cm de grosor.
Con un cuchillo afilado, pele
cada rodaja; a continuación,
sosteniéndolas de canto,

vaya eliminando los «ojos» y
desechándolos. Extraiga el
corazón con un descorazona-
dor de manzanas y corte cada
rodaja por la mitad.

2 Unte la parrilla con aceite y
precaliente el grill a fuego vivo.
Mezcle el yogur y las avellanas
en un bol y resérvelo.

3 Disponga las rodajas de
piña en la parrilla y áselas
bajo el grill precalentado de
3 a 5 minutos, hasta que se
doren. Sírvalas con el yogur
de avellanas.

11 LIMÓN

Indispensable en muchas recetas, el limón es rico en vitamina C y nos protege del cáncer de mama, entre otros.

El sabor fresco y ácido del zumo de limón potencia tanto las comidas dulces como las saladas, mientras que su piel aporta sabor. El ácido y los antioxidantes del zumo de limón evitan que algunos alimentos se ennegrezcan después de pelarlos o cortarlos. Todas las partes del limón contienen nutrientes y antioxidantes valiosos. Constituyen una fuente particularmente buena de vitamina C. Entre sus compuestos vegetales antioxidantes se encuentran el limoneno, un aceite que ayuda a prevenir, entre otros, el cáncer de mama y reduce el colesterol «malo» en sangre, y la rutina, que fortalece las venas. El limón estimula las papilas gustativas y resulta útil en personas con poco apetito.

- Es rico en vitamina C.
- Posee propiedades desinfectantes e insecticidas.
- Su contenido en rutina fortalece las venas y ayuda a prevenir la retención de líquidos, sobre todo en las piernas.
- Ayuda a estimular el apetito.

Consejos prácticos:
Si piensa usar la piel, lave bien los limones o cómprelos orgánicos o sin encerar. Obtendrá más zumo si calienta el limón unos segundos en el microondas o en agua caliente antes de exprimirlo. Cuanto más pesado sea el limón, más zumo tendrá. Gracias a la pectina, el zumo de limón ayuda a estabilizar mermeladas y gelatinas y puede usarse en ensaladas en lugar de vinagre o añadirse a la mayonesa.

¿SABÍA QUE...?

Un limón mediano contiene unas 3 cucharadas de zumo. El ácido reblandecedor de los limones los convierte en un ingrediente útil para los adobos y estofados de carne.

VALOR NUTRITIVO DE UN LIMÓN DE TAMAÑO MEDIANO

Kcal	17
Grasas totales	Inapreciables
Proteínas	0,6 g
Carbohidratos	5,4 g
Fibra	1,6 g
Vitamina C	31 mg
Potasio	80 mg

Rape al limón, naranja y pimienta

8 PERSONAS (D) (E) (N)

2 *limones*
2 *naranjas*
2 *colas de rape, de unos 500 g
    cada una, peladas y cortadas
    en 4 filetes*
a ramitas de tomillo de limón o sooo
2 *cucharadas de aceite de oliva*
2 *cucharadas de granos de
    pimienta verde machacados*
sal

Preparación

1 Corte 8 rodajas de limón y 8 de naranja y reserve el resto de la fruta. Lave el rape con agua fría y séquelo suavemente con papel de cocina. Disponga los filetes con el corte hacia arriba sobre la encimera y reparta entre ellos las rodajas de cítricos. Adórnelos con el tomillo. Ate cada filete con bramante para fijar las rodajas de cítricos y el tomillo. Disponga el rape en una fuente de barro o loza grande y poco profunda.

2 Exprima el zumo del resto de la fruta en una jarra, agregue el aceite y mézclelo todo bien. Sálelo al gusto y, con una cuchara, rocíe la mezcla sobre el pescado. Cubra la bandeja con film transparente y deje marinar el rape en el frigorífico 1 hora (con una cuchara, riegue el pescado con el adobo una o dos veces).

3 Precaliente la parrilla. Escurra el pescado y reserve la marinada. Esparza por encima los granos de pimienta, presionándolos con los dedos, y ase el rape a fuego entre medio y vivo unos 20 o 25 minutos, dándole vueltas y pintándolo con frecuencia con la marinada. Transfiéralo a una tabla de cortar, deseche el bramante y corte el pescado en rodajas. Sírvalo de inmediato.

12

POMELO

Fuente excelente de vitamina C, el pomelo estimula el sistema inmunitario y protege el corazón.

En los últimos años, el pomelo de pulpa rosa se ha convertido en una fruta tan popular como la variedad de carne blanca o amarilla. Es algo más dulce y más beneficioso para la salud, puesto que el pigmento rosa indica la presencia de licopeno, el caroteno antioxidante que ayuda a prevenir el cáncer de próstata, entre otros. Como otros cítricos, el pomelo contiene bioflavonoides, compuestos que potencian los beneficios de la vitamina C, también presente en grandes cantidades en esta fruta. Posee un bajo índice glucémico y aporta muy pocas calorías, lo que lo convierte en una opción ideal para las personas a dieta. El zumo de pomelo puede alterar los efectos de ciertos medicamentos (por ejemplo, los que reducen la presión sanguínea); se recomienda a las personas medicadas consultar con su médico antes de tomar esta fruta.

- Contiene un alto nivel de antioxidantes, que ayudan a prevenir el cáncer de próstata, entre otros.
- Es rico en vitamina C, que estimula el sistema inmunitario.
- Es una fruta excelente para las personas a dieta.
- Reduce los accesos en las personas propensas al asma.

Consejos prácticos:
El pomelo sabe delicioso cortado por la mitad, rociado con azúcar moreno y asado a la parrilla unos instantes. Procure comer algo de la piel blanca, pues contiene muchos nutrientes. El pomelo, como todos los cítricos, dará más zumo cuanto más pese.

¿SABÍA QUE...?

El sabor ligeramente amargo del pomelo lo causa un compuesto llamado naringenina, que ayuda a reducir el colesterol.

VALOR NUTRITIVO DE MEDIO POMELO ROSA

Kcal	30
Grasas totales	Inapreciables
Proteínas	0,5 g
Carbohidratos	7,5 g
Fibra	1,1 g
Vitamina C	37 mg
Potasio	127 mg
Betacaroteno	770 mcg
Folato	9 mcg
Calcio	15 mg

Macedonia de pomelo y naranja

4 PERSONAS (V) (D) (E) (N) (R)

1 pomelo (toronja) rosa
1 pomelo (toronja) amarillo
3 naranjas

Preparación

1 Con un cuchillo afilado, monde cuidadosamente toda la piel externa y la blanca de los pomelos y las naranjas.

2 Trabajando sobre un bol para recoger el zumo, corte con cuidado el pomelo y la naranja on gajos entre las membranas para obtener trozos sin piel. Deseche las pepitas. Ponga los gajos en el bol y mézclelos con suavidad. Tape la macedonia y déjela enfriar en el frigorífico hasta que vaya a usarla o repártala en 4 cuencos y sírvala.

13

CEREZA

Las relucientes y rojas cerezas son una de las mejores fuentes frutales de antioxidantes, que ayudan a prevenir muchas enfermedades asociadas al envejecimiento.

Pese a que contienen cantidades de vitaminas y minerales algo inferiores a las de otras frutas con carozo, las cerezas son ricas en compuestos vegetales con beneficios indiscutibles para la salud. Ocupan el duodécimo puesto de la escala ORAC, que mide la capacidad antioxidante de las frutas, y entre las sustancias químicas que contienen se encuentran la quercetina, un flavonoide que protege del cáncer y de las cardiopatías, y la cianidina, un antiinflamatorio que minimiza los síntomas de la artritis y de la gota. La fibra soluble de las cerezas ayuda a controlar los niveles de colesterol «malo» en sangre, mientras que la fruta es una buena fuente de potasio y tiene un aporte considerable de vitamina C y carotenos.

- Posee un elevado contenido en antioxidantes, que ayudan a proteger el corazón y previenen los síntomas del envejecimiento.
- Son ricas en quercetina, que ayuda a prevenir el cáncer.
- Son ricas en cianidina, que alivia la artritis y las enfermedades inflamatorias.
- Su fibra soluble ayuda a mejorar el perfil del colesterol en sangre.

Consejos prácticos:
Las cerezas frescas tienen rabitos verdes y la piel reluciente. Cuanto más intenso es su color, más antioxidantes poseen, así que elija las rojas o negras en lugar de las amarillentas. Para conservar la vitamina C, guárdelas en el frigorífico. Cómalas crudas, pues las cerezas frescas contienen más antioxidantes.

¿SABÍA QUE...?
Las guindas son una variedad de cereza más amarga que dulce y normalmente se usan en tartas y para cocinar.

VALOR NUTRITIVO DE 80 g DE CEREZAS

Kcal	50
Grasas totales	Inapreciables
Proteínas	0,8 g
Carbohidratos	13 g
Fibra	1,7 g
Vitamina C	5,6 mg
Potasio	178 mg
Luteína/Zeaxantina	68 mcg

Batido de cereza

1-2 PERSONAS   Ⓥ Ⓓ Ⓔ Ⓝ Ⓡ

750 g de cerezas negras dulces

½ lima

1 manzana

125 g de uvas rojas

2½ cucharadas colmadas de yogur
(yoghurt) de soja (soya)

Preparación

1 Descaroce las cerezas. Corte la lima por la mitad. Licúe las cerezas, la manzana, las uvas y la lima. Incorpore el yogur, vierta el batido en vasos y sírvalo.

14

FRESA

Ricas en vitamina C, las fresas estimulan el sistema inmunitario y contienen sustancias químicas que protegen del cáncer.

Las fresas poseen una acción antioxidante más que notable. Son extremadamente ricas en vitamina C (una ración normal contiene la cantidad diaria recomendada para un adulto), que estimula el sistema inmunitario, ayuda a recuperarse de las enfermedades, previene el daño arterial, potencia la absorción del hierro y refuerza las paredes de los vasos sanguíneos. También contienen otras sustancias químicas vegetales fenólicas con poder antioxidante, como antocianinas y ácido elágico, capaz de bloquear células cancerígenas y ayudar a prevenir algunos cánceres. Por último, contienen cantidades considerables de fibra, folato y potasio.

- Son una fuente excelente de vitamina C.
- Contienen ácido elágico, un compuesto con propiedades anticancerígenas y antioxidantes.
- Contienen antocianinas, que reducen el colesterol «malo».
- Son una fuente útil de fibra y fibras solubles, potasio, folato y zeaxantina, que mantiene los ojos sanos.

¿SABÍA QUE...?

Una vez lavadas, las fresas se estropean rápidamente. Lávelas justo antes de servirlas.

VALOR NUTRITIVO DE 100 g DE FRESAS

Kcal	32
Grasas totales	0,3
Proteínas	0,7 g
Carbohidratos	7,7 g
Fibra	2 g
Vitamina C	59 mg
Potasio	153 mg
Folato	24 mcg
Luteína/Zeaxantina	26 mcg

Consejos prácticos:

Elija fresas con aspecto carnoso y reluciente; las de color mate suelen estar pasadas. Las fresas más pequeñas suelen tener mayores niveles de ácido elágico, concentrado en la capa exterior, y son más sabrosas. Guárdelas en el frigorífico, en un recipiente con agujeritos para que respiren, un máximo de tres días, pero déjelas a temperatura ambiente antes de comerlas.

Semifrío de fresa y vinagre balsámico

4 PERSONAS   Ⓥ Ⓓ Ⓔ Ⓝ Ⓡ

1 cucharadita de miel
85 ml de agua
800 g de fresas (frutillas) maduras,
   sin rabito
2 cucharadas de vinagre balsámico
4 fresas (frutillas) cortadas por
   la mitad y ramitas de menta
   fresca, para decorar (opcional)

Preparación

1 Programe el congelador en la
opción turbo al menos 2 horas
antes de congelar el semifrío.
Vierta la miel y el agua en
un cazo y llévelas a ebullición, removiendo de vez en
cuando. Baje el fuego a lento,
incorpore las fresas y cuézalas
durante 2 minutos. Retírelas
del fuego y déjelas enfriar.

2 Eche las fresas, el almíbar y el
vinagre en un robot de cocina
y tritúrelo todo 30 segundos
o hasta obtener una mezcla
gruesa.

3 Vierta la mezcla en un
recipiente para congelador
y congélela entre 1 hora y
1 hora y media, o hasta que
esté semihelada. Remuévala
al menos una vez mientras
permanece en el congelador.

4 Eche varias cucharadas del
semifrío en vasos, adórnelo
con las fresas cortadas por la
mitad y unas hojitas de menta
(si usa), y sírvalo. Recuerde
reprogramar el congelador
como de costumbre.

15 FRAMBUESA

Repletas de vitamina C, fibra y antioxidantes que protegen el corazón, las frambuesas figuran entre las frutas más nutritivas.

La frambuesa ocupa el séptimo lugar en la escala ORAC, lo que la convierte en una fruta muy preciada. Se recomienda comerlas crudas, porque la cocción y otros tratamientos destruyen parte de sus antioxidantes, sobre todo las antocianinas, unos pigmentos rojos y morados que se ha demostrado que ayudan a prevenir las cardiopatías y el cáncer, y podrían estar implicados en la prevención de las venas varicosas. Las frambuesas contienen altos niveles de ácido elágico, un compuesto con propiedades anticancerígenas. Además, poseen un alto contenido en vitamina C y fibra, así como cantidades generosas de hierro, que el organismo absorbe bien gracias a los elevados niveles de vitamina C.

- Tiene una potente acción antioxidante.
- Podría estar asociada con la prevención de las venas varicosas.
- Una ración contiene aproximadamente la mitad de la ingesta diaria recomendada de vitamina C.
- Su alto contenido en fibra ayuda a controlar el colesterol «malo».

Consejos prácticos:

Los frutos del bosque no se conservan bien por lo que conviene recogerlos sólo cuando estén maduros. No obstante, se congelan bien envasados en recipientes en lugar de en bolsas. Nunca lave las frambuesas antes de guardarlas: su estructura se destruye fácilmente. La fibra soluble de las frambuesas es la pectina, lo que implica que dan una excelente mermelada, fácil de cuajar.

¿SABÍA QUE...?

Las frambuesas están formadas por drupeolas, unas frutillas que se arraciman en torno a un tallo central. Cada drupeola contiene una semilla, de ahí que las frambuesas tengan tanta fibra.

VALOR NUTRITIVO DE 100 G DE FRAMBUESAS

Kcal	52
Grasas totales	0,6 g
Proteínas	1,2 g
Carbohidratos	12 g
Fibra	6,5 g
Vitamina C	26 mg
Vitamina B3	0,6 mg
Vitamina E	0,8 mg
Folato	21 mcg
Potasio	151 mg
Calcio	25 mg
Hierro	0,7 mg
Zinc	0,4 mg

Delicia de frambuesa y pera

2 PERSONAS (V) (D) (E) (N) (R)

2 peras Anjou o Bartlett grandes y
    maduras
125 g de frambuesas congeladas
85 ml de agua helada
miel, al gusto (opcional)
frambuesas frescas, para adornar
    (opcional)

Preparación

1 Pele y cuartee las peras y deseche el corazón. Introdúzcalas en
una batidora junto con las frambuesas y el agua, y tritúrelas hasta
obtener una mezcla homogénea.

2 Pruebe la mezcla y endúlcela con miel si está un poco agria. Viértala
en vasos helados, adórnelos con frambuesas y sírvalos.

16 ARÁNDANO

Estas bayas de color morado intenso son las frutas con más compuestos antioxidantes, que nos protegen del cáncer y otras enfermedades.

El arándano silvestre se ha convertido en uno de los frutos del bosque más populares. Ocupa el tercer puesto entre los alimentos vegetales en la escala ORAC, lo cual significa que un puñado de bayas al día protege de varias enfermedades. El pterostilbeno, presente en esta fruta, podría ser tan eficaz como los medicamentos para reducir el colesterol y ayudar a prevenir la diabetes y algunos cánceres. Los arándanos son fuente de antocianinas, que previenen las cardiopatías y la pérdida de memoria. Poseen un alto contenido en vitamina C y fibra, y, al parecer, también son buenos para las infecciones urinarias.

- Contienen un compuesto que reduce el colesterol.
- Ayudan a prevenir las cardiopatías coronarias, la diabetes y el cáncer.
- Ayudan a curar las infecciones de las vías urinarias.
- Parece que protegen de las molestias intestinales, incluida la intoxicación alimenticia.
- El caroteno, en forma de luteína y zeaxantina, ayuda a mantener los ojos sanos.

Consejos prácticos:

Los arándanos son bastante dulces, de modo que pueden comerse crudos para aprovechar todo el contenido en vitamina C. Pueden cocerse ligeramente en agua y comerse con su jugo. Potencian el contenido nutritivo de magdalenas, pasteles, *crumbles*, tartas y macedonias. Se congelan bien, sin apenas pérdida de nutrientes.

¿SABÍA QUE...?

Conviene guardar los arándanos en recipientes no metálicos, porque el contacto con el metal los decolora.

VALOR NUTRITIVO DE 50 g DE ARÁNDANOS

Kcal	29
Grasas totales	Inapreciables
Proteínas	0,4 g
Carbohidratos	7,2 g
Fibra	1,2 g
Vitamina C	5 mg
Vitamina E	2,4 mg
Folato	34 mcg
Potasio	39 mg
Luteína/Zeaxantina	40 mcg

Yogur con arándanos, miel y frutos secos

4 PERSONAS (V)(D)(P)(N)(R)

3 cucharadas de miel

125 g de frutos secos variados
sin sal

8 cucharadas de yogur (yoghurt)
griego semidesnatado
(semidesnatado)

325 g de arándanos frescos

Preparación

1 Caliente la miel en un cazo a fuego medio. Incorpore los frutos secos y remueva hasta que queden bien recubiertos. Retírelos del fuego y déjelos enfriar ligeramente.

2 Reparta el yogur entre 4 boles y, con una cuchara, vierta por encima la mezcla de frutos secos y los arándanos.

17 ARÁNDANO ROJO

Estas frutillas rojas poseen una serie de beneficios para la salud y estimulan el funcionamiento de los riñones.

¿SABÍA QUE...?

Las personas que toman warfarina no deben comer ni beber zumo de arándanos rojos, pues estos pueden aumentar los niveles en sangre de este medicamento anticoagulante en un grado incluso letal.

VALOR NUTRITIVO DE 185 ML DE ZUMO DE ARÁNDANO ROJO ENDULZADO

Kcal	108
Grasas totales	Inapreciables
Proteínas	Inapreciables
Carbohidratos	26 g
Fibra	Inapreciable
Vitamina C	60 mg
Vitamina E	Inapreciable
Luteína/Zeaxantina	150 mcg

DE 100 G DE ARÁNDANOS ROJOS CRUDOS

Kcal	46
Grasas totales	Inapreciables
Proteínas	0,4 g
Carbohidratos	12,2 g
Fibra	4,6 g
Vitamina C	13 mg
Vitamina E	1,2 mg
Luteína/Zeaxantina	91 mcg

Los arándanos rojos frescos son demasiado agrios y ácidos para comerse crudos, pero durante años se han utilizado en una salsa que se sirve con el pavo. No obstante, desde que se descubrieron sus beneficios para la salud, pueden encontrarse edulcorados y secos, en zumo y en conservas y postres horneados. Su principal beneficio es que ayudan a prevenir o aliviar las infecciones de las vías urinarias. Además, parte de los taninos que contienen tienen propiedades antibióticas. Estos mismos compuestos podrían proteger frente a la úlcera estomacal y las cardiopatías.

- Su elevado contenido en fibra soluble puede ayudar a reducir el colesterol «malo».
- Pueden prevenir cardiopatías.
- Ayudan a prevenir y aliviar las infecciones de las vías urinarias.
- Previenen los trastornos digestivos y las úlceras estomacales.

Consejos prácticos:

Los arándanos rojos frescos tienen la piel tersa y brillante. Para comprobar su frescura, recomiendan tirar uno al suelo: si rebota, está fresco. Poseen abundante pectina y son el complemento ideal para las mermeladas de frutas con poca pectina, como las fresas, pues las ayudan a estabilizarse. El contenido en azúcar de la mayoría de los productos elaborados con arándanos rojos, como bebidas y frutas desecadas, tiene un aporte calórico elevado, por lo que se desaconsejan para personas a dieta y diabéticos.

Bebida energética de arándanos rojos

2 PERSONAS (V) (D) (E) (N) (R)

*1 kg de arándanos rojos frescos
    o descongelados*
*450 ml de zumo (jugo) de
    arándanos sin azúcar helado*
315 ml de yogur (yoghurt) natural
2-3 cucharadas de miel, o al gusto

Preparación

1 Bata los arándanos y el zumo en una batidora hasta obtener una
   mezcla homogénea. Agregue el yogur y la miel y vuelva a batirla.
2 Pruebe el batido y corrija de miel si es preciso. Viértalo en vasos
   helados y sírvalo de inmediato.

18 CIRUELA

Los estudios realizados demuestran que los antioxidantes de las ciruelas protegen el cerebro y el corazón.

Existen ciruelas de varios colores, desde las variedades rojas y moradas, más comunes, hasta otras amarillas y blancas. La ciruela es célebre por sus compuestos fenólicos, beneficiosos para la salud, los ácidos neoclorogénicos y clorogénicos, particularmente eficaces en la neutralización de radicales libres, causantes del envejecimiento y algunas enfermedades. Las ciruelas parecen presentar una acción especialmente beneficiosa para los tejidos grasos del cerebro y ayudan a prevenir el deterioro de las grasas que circulan por nuestra sangre. Las variedades roja y morada poseen un elevado contenido en antocianinas, los pigmentos que ayudan a prevenir cardiopatías y cánceres.

- Su bajo índice glucémico es ideal para personas a dieta y diabéticos.
- Son una fuente de carotenos, protegen la salud ocular y frente al cáncer.
- Son ricas en compuestos fenólicos, ayudan a disfrutar de un cerebro sano y poseen una potente acción antioxidante.
- Son fuente de hierro de fácil absorción, para una sangre más sana y un mejor mantenimiento del organismo.

Consejos prácticos:

Compre las ciruelas casi maduras, a ser posible todavía con un poco de pelusilla en la piel, y déjelas madurar a temperatura ambiente uno o dos días: cuanto más maduras, más antioxidantes. Para cocinarlas, escáldelas en agua y cómalas con los jugos, porque algunos nutrientes se filtrarán a ellos.

¿SABÍA QUE...?

Las ciruelas, originarias de China y Europa, se comen desde hace dos milenios. Existen más de 2.000 variedades.

VALOR NUTRITIVO DE UNA CIRUELA DE TAMAÑO MEDIANO

Kcal	30
Grasas totales	Inapreciables
Proteínas	0,5 g
Carbohidratos	7,5 g
Fibra	0,9 g
Vitamina C	6,3 mg
Betacaroteno	125 mcg
Potasio	104 mg
Hierro	0,4 mcg
Zeaxantina/Luteína	48 mcg

Compota de ciruelas damascenas

4 PERSONAS   (**v**) (**e**) (**n**) (**r**)

600 g de ciruelas damascenas
   (moradas) cortadas por la mitad
   y descarozadas
nata (crema) montada o nata agria,
   para acompañar

Almíbar

200 g de azúcar
450 ml de agua
3 hojas de laurel frescas
   despedazadas
1 tira fina de cáscara de naranja

Preparación

1 Eche las mitades de ciruela en una fuente de servir grande.
2 Caliente los ingredientes del almíbar en un cazo a fuego medio,
removiendo, hasta que el azúcar se disuelva. Lleve el almíbar a
ebullición y déjelo hervir de 7 a 10 minutos, hasta que espese.
Cuélelo inmediatamente sobre las ciruelas y déjelas enfriar a
temperatura ambiente. Sirva la compota con nata montada.

19

MELÓN

La jugosa pulpa del melón es rica en vitamina C y potasio, que previene la retención de líquidos.

Un melón contiene más del 92 % de agua, cosa que estimula el funcionamiento de los riñones. Las variedades naranjas son una excelente fuente de betacaroteno y vitamina C, si bien las cantidades difieren en función de la variedad. Todos los melones son ricos en vitamina B6 y potasio, y algunas variedades presentan un elevado contenido del grupo bioflavonoide de sustancias químicas vegetales, que poseen propiedades anticancerígenas y previenen las cardiopatías y el envejecimiento. El melón también es rico en fibra soluble, mientras que la sandía es una fuente excelente de licopeno, que protege frente al cáncer de próstata.

- Su elevado contenido en potasio ayuda a prevenir la retención de líquidos y equilibra el nivel de sodio en el organismo.
- Su contenido en fibras solubles fomenta la salud arterial y ayuda a reducir el nivel de colesterol «malo» en sangre.
- El contenido en betacaroteno de las variedades naranjas es de los más elevados entre todas las frutas y hortalizas.
- La sandía contiene citrulina, un aminoácido que favorece la entrada de sangre en los músculos, ideal para los deportistas.

¿SABÍA QUE...?

Si compra un cuarto o medio melón, debe guardarlo envuelto en film transparente en el frigorífico para evitar que otros alimentos absorban su potente olor.

VALOR NUTRITIVO DE UN MELÓN CANTALUPO MEDIANO

Kcal	28
Grasas totales	Inapreciables
Proteínas	1 g
Carbohidratos	6,3 g
Fibra	1.5 g
Vitamina C	39 mg
Potasio	315 mg
Betacaroteno	2.647 mcg

Consejos prácticos:

A diferencia de muchas frutas, los melones no maduran una vez se cosechan, de manera que elija uno con una fragancia intensa. Si la piel presenta arrugas, está demasiado maduro. Guarde el melón a temperatura ambiente, entre moderada y fría.

Jamón serrano con melón y espárragos

4 PERSONAS Ⓓ Ⓝ Ⓡ

225 g de espárragos trigueros

1 melón cantalupo (melón amarillo)
  pequeño o ½ mediano

55 g de jamón serrano
  en lonchas finas

150 g de ensalada verde variada,
  como lechuga con rúcula

200 g de frambuesas frescas

1 cucharada de queso parmesano
  recién rallado

Aderezo

1 cucharada de vinagre balsámico

2 cucharadas de vinagre de
  frambuesas

2 cucharadas de zumo (jugo) de
  naranja

Preparación

1 Limpie los espárragos y corte los tallos por la mitad si son muy largos. Cuézalos en una cazuela alta con agua hirviendo ligeramente salada durante 5 minutos, hasta que estén tiernos. Escúrralos y refrésquelos bajo el chorro de agua fría. Escúrralos de nuevo y resérvelos.

2 Corte el melón por la mitad y, con una cucharilla, extraiga las pepitas. Córtelo en tajadas pequeñas y quíteles la cáscara. Separe las lonchas de jamón, córtelas por la mitad y enróllelas alrededor de las tajadas.

3 Disponga la ensalada en una ensaladera grande y coloque encima las tajadas de melón, junto con los espárragos. Esparza por encima las frambuesas y las virutas de parmesano.

4 Para el aderezo, vierta el vinagre y el zumo en un tarro con tapa de rosca y agite hasta que se mezclen bien. Aderece la ensalada y sírvala.

20 MORA

Las jugosas moras son pequeñas centrales de salud, con antioxidantes que nos protegen de las enfermedades cardiovasculares.

En los últimos años se ha descubierto que estas sabrosas frutillas son potentes protectores de la salud, además de una delicia en cualquier día estival. En la escala ORAC se sitúan a la misma altura prácticamente que los arándanos. Su intenso color morado indica que son ricas en varios compuestos, que ayudan a combatir las cardiopatías, el cáncer y los signos de envejecimiento. Entre estos compuestos se encuentran las antocianinas y el ácido elágico. Además, las moras son ricas en fibra y minerales como magnesio, zinc, hierro y calcio. Su elevado contenido en vitamina E ayuda a proteger el corazón y a mantener la piel sana.

- Tienen un elevado contenido en ácido elágico, sustancia química que bloquea las células cancerígenas.
- Son ricas en vitamina E y fibra.
- Son fuente de vitamina C, buena para el sistema inmunitario.
- Constituyen una fuente útil de folato, para una sangre sana.

Consejos prácticos:

Las moras frescas tienen un aspecto reluciente y carnoso. Si la piel está mate, posiblemente estén demasiado maduras y su contenido en vitamina C será inferior. Cuanto más oscuras, más ácido elágico. Su cocción no destruye el ácido elágico, de modo que se pueden usar en mermeladas, tartas y *crumbles*. Ahora bien, aportan más vitamina C crudas. Para congelarlas, métalas en recipientes con tapa o en bandejas abiertas y luego en una bolsa de plástico.

¿SABÍA QUE...?

Las moras contienen salicilato, asociado al ingrediente activo de la aspirina. Por este motivo, las personas alérgicas a la aspirina pueden serlo también a las moras.

VALOR NUTRITIVO DE 100 G DE MORAS

Kcal	25
Grasas totales	Inapreciables
Proteínas	0,9 g
Carbohidratos	5 g
Fibra	3,1 g
Vitamina C	15 mg
Vitamina E	2,4 mg
Folato	34 mcg
Potasio	160 mg
Calcio	41 mg
Hierro	0,7 mg

Postre de frutas del bosque

6-8 PERSONAS (D) (E) (N)

1 paquete de 12 g de gelatina con
   sabor a fresa (frutilla)
200 ml de zumo (jugo) de
   arándanos rojos sin edulcorar
500 g de frambuesas, fresas
   (frutillas), arándanos y moras, y
   algunas más para adornar

Preparación

1 Elabore la gelatina siguiendo las instrucciones del envase, pero
   sustituya algo de agua por el zumo de arándanos rojos. Vierta
   la mezcla de frutas del bosque en el fondo de copas individuales
   o en vasos de plástico y echa por encima la gelatina líquida. Déjelas
   en el frigorífico unas 6 horas, hasta que la gelatina se solidifique.
   Sirva las copas adornadas con unas cuantas frutillas.

2 Para elaborar un postre con capas diferenciadas, use 2 gelatinas de
   distinto color. Ponga un cuarto de las frutas del bosque en un cuenco
   y cúbralas con una gelatina. Refrigérelas. Cuando la gelatina se solidifique, añada el resto de las frutas y la otra gelatina. Refrigere el postre
   de nuevo.

HORTALIZAS Y ENSALADAS

Los carotenos, el calcio y el hierro son sólo algunas
de las propiedades saludables presentes en
hortalizas y ensaladas. Sirva una ración de sus
hortalizas preferidas como guarnición de un plato
o prepare algunas de las deliciosas recetas incluidas
en este capítulo.

(V) Adecuado para vegetarianos
(D) Ideal para personas a dieta
(E) Adecuado para embarazadas
(N) Adecuado para niños mayores de 5 años
(R) Rápido de preparar y cocinar

21 BRÓCOLI

De todas las hortalizas del género de las brasicáceas, el brócoli es la que ofrece mayor protección frente al cáncer de próstata.

Existen diversas variedades de brócoli, pero, cuanto más oscuro sea su color, más nutrientes beneficiosos aporta. Contiene sulforafano e indoles, que poseen potentes efectos anticancerígenos, en especial frente a los cánceres de mama y colon. El brócoli tiene un alto contenido en flavonoides, los cuales se han asociado a una reducción significativa del cáncer de ovarios. Las sustancias químicas que contiene el brócoli protegen frente a las úlceras estomacales, los cánceres de estómago y pulmón, y se supone que frente al cáncer de piel. Actúan como desintoxicantes, ayudan a reducir el colesterol «malo» en sangre, estimulan el sistema inmunitario y previenen las cataratas.

- Es rico en nutrientes que protegen contra diversos cánceres.
- Ayuda a reducir el colesterol «malo» y previene cardiopatías.
- La luteína y la zeaxantina previenen la degeneración macular.
- Ayuda a erradicar la bacteria *H. pylori*.
- Su alto contenido en calcio protege los huesos.
- Es una fuente excelente de vitamina C antioxidante y selenio.
- Entre 3 y 5 raciones a la semana protegen frente al cáncer.

Consejos prácticos:
Busque los brócolis más verdes y descarte los ejemplares con manchas amarillas o marrones en las cabezuelas. Guárdelos en el frigorífico y consúmalos al poco de adquirirlos. El brócoli congelado conserva sus nutrientes. Cocínelo al vapor o salteado.

¿SABÍA QUE...?

Las hojas del brócoli también se comen. Son tan nutritivas como las cabezuelas y los tallos, y son muy sabrosas.

VALOR NUTRITIVO DE 100 G DE BRÓCOLI

Kcal	34
Grasas totales	0,4 g
Proteínas	2,8 g
Carbohidratos	6,6 g
Fibra	2,6 g
Vitamina C	89 mg
Selenio	2,5 mcg
Betacaroteno	361 mcg
Calcio	47 mg
Zeaxantina/Luteína	1.403 mcg

Salteado de brócoli y cacahuetes

4 PERSONAS (V) (D) (N) (R)

3 cucharadas de aceite vegetal o
de cacahuete (aceite de maní)

1 tallo de hierba limón (lemongrass)
picada toscamente

2 guindillas (chiles) rojas frescas
despepitadas y troceadas

1 trozo de 2,5 cm de jengibre
fresco pelado y rallado

3 hojas de lima kafir troceadas

3 cucharadas de pasta de curry
verde tailandés

1 cebolla picada

1 pimiento (morrón, pimiento
morrón) rojo despepitado
y troceado

350 g de cabezuelas de brócoli
(flores de brócoli)

115 g de judías (frijoles, porotos)
de careta

85 g de cacahuetes (maníes)
sin sal tostados

Preparación

1 Eche 2 cucharadas del aceite, la hierba limón, las guindillas, el jengibre, las hojas de lima y la pasta de curry en un robot de cocina o una batidora y tritúrelo hasta obtener una masa homogénea.

2 Caliente un *wok* a fuego vivo durante 30 segundos. Vierta el aceite restante, hágalo girar para empapar el fondo y caliéntelo 30 segundos. Agregue la masa de especias, la cebolla y el pimiento rojo y salteélos unos 2 o 3 minutos, hasta que las hortalizas empiecen a reblandecerse. Incorpore el brócoli y las judías, tape el *wok* y déjelo a fuego bajo de 4 a 5 minutos, hasta que las hortalizas estén tiernas.

3 Incorpore los cacahuetes, mézclelo todo bien y sirva.

22 ZANAHORIA

La zanahoria, el alimento vegetal con más carotenos, protege del cáncer y de las enfermedades cardiovasculares, además de favorecer una vista y unos pulmones sanos.

La zanahoria es una de las hortalizas de raíz más nutritivas. Fuente excelente de antioxidantes, es la hortaliza más rica en carotenos, que le dan su intenso color naranja. Estos compuestos protegen de las enfermedades cardiovasculares y del cáncer. Los carotenos reducen la incidencia de las cardiopatías en un 45 %, fomentan una buena vista y contribuyen a mantener los pulmones sanos. La zanahoria es rica en fibra, en vitaminas antioxidantes C y E, en calcio y en potasio. Se ha demostrado que una sustancia presente en las zanahorias, el falcarinol, erradica un tercio de los tumores en animales.

- Su contenido en caroteno previene el colesterol y las cardiopatías.
- Puede ofrecer protección frente a algunos cánceres y el enfisema pulmonar.
- Las mujeres que comen al menos cinco zanahorias a la semana reducen en dos tercios sus probabilidades de padecer un derrame cerebral.
- Las zanahorias protegen la vista y la visión nocturna.
- Contienen diversas vitaminas, minerales y fibra.

Consejos prácticos:

Cuanto más oscura sea la zanahoria, más carotenos tendrá. Retire el tallo verde antes de cocinarlas, pues puede ser ligeramente tóxico. El organismo humano procesa mejor los nutrientes de las zanahorias cocinadas. Añadir un poco de aceite a la cocción estimula la absorción de los carotenos.

....

¿SABÍA QUE...?

Comer demasiada zanahoria puede dar un tono naranja a la piel. Esta afección, llamada carotinemia, es inofensiva.

....

VALOR NUTRITIVO DE 100 g DE ZANAHORIAS

Kcal	41
Grasas totales	Inapreciables
Proteínas	0,9 g
Carbohidratos	9,6 g
Fibra	2,8 g
Vitamina C	6 mg
Vitamina E	0,7 mg
Betacaroteno	8.285 mcg
Calcio	33 mg
Potasio	320 mg
Zeaxantina/Luteína	256 mcg

Ensalada de zanahoria Gujarat

4-6 PERSONAS Ⓥ Ⓓ Ⓝ Ⓡ

450 g de zanahorias peladas
1 cucharada de aceite vegetal o de
*   cacahuete (aceite de maní)*
½ cucharada de granos de
*   mostaza negra*
½ cucharada de semillas de
*   comino*
1 guindilla (chile) verde fresca,
*   despepitada y troceada*
½ cucharadita de azúcar
½ cucharadita de sal
una pizca de cúrcuma molida
1½-2 cucharadas de zumo (jugo)
*   de limón*

Preparación

1 Ralle las zanahorias sobre un cuenco grande con la cara gruesa del rallador y resérvelas.

2 Caliente un *wok* a fuego entre medio y vivo durante 30 segundos. Añada el aceite, hágalo girar para cubrir el fondo y caliéntelo 00 segundos. Incorpore la mostaza y el comino y sofríalos hasta que los granos de mostaza empiecen a saltar. Retire rápidamente el *wok* del fuego e incorpore la guindilla, el azúcar, la sal y la cúrcuma. Deje enfriar 5 minutos.

3 Esparza las especias calientes y el aceite restante sobre las zanahorias y agregue el zumo de limón. Mézclelo todo bien y rectifique de sal. Tape el cuenco y refrigérelo al menos 30 minutos. Remueva bien la ensalada justo antes de servirla.

23 PIMIENTO

Los pimientos, con sus vivos colores, contienen altos niveles de carotenos, que protegen de las cardiopatías y el cáncer, y son una rica fuente de vitamina C.

Hay pimientos de varios colores, pero los rojos y los naranjas son los que más vitamina B6 y carotenos contienen. Todos son muy ricos en vitamina C; de hecho, una ración normal supera la ingesta diaria recomendada. Cuanto más intenso es el color del pimiento, más compuestos vegetales beneficiosos posee. Entre ellos figuran los bioflavonoides, que protegen del cáncer, y los fenoles, que bloquean la acción de las sustancias químicas del organismo que provocan el cáncer. Los pimientos poseen esteroles vegetales, cuyo efecto anticancerígeno se está investigando.

- Es fuente de vitaminas, minerales y sustancias químicas vegetales.
- Tiene un alto contenido en vitaminas C y E antioxidantes.
- Tiene un alto contenido en sustancias anticancerígenas.
- Sus altos niveles de luteína previenen la degeneración macular.
- Es fuente de vitamina B6, que ayuda a reducir los niveles de homocisteína en sangre, asociados con un mayor riesgo de padecer cardiopatías, apoplejías, *alzheimer* y osteoporosis.

Consejos prácticos:

Los carotenos se absorben mejor si los pimientos se cocinan y se comen con un poco de aceite. Saltéelos cortados en aros finos o áselos pintados con un poco de aceite y despepitados. Si los usa crudos en ensalada, rocíelos con aceite para facilitar la absorción. Los pimientos frescos se pueden congelar despepitados y cortados en rodajas.

¿SABÍA QUE…?

Los pimientos provienen de Suramérica y se remontan a hace 5.000 años. Los introdujeron en Europa a comienzos de la Edad Moderna los conquistadores españoles y portugueses.

VALOR NUTRITIVO DE UN PIMIENTO DE TAMAÑO MEDIANO

Kcal	39
Grasas totales	0,5 g
Proteínas	1,5 g
Carbohidratos	9 g
Fibra	3 g
Vitamina C	285 mg
Folato	0,7 mcg
Niacina	1,5 mg
Vitamina B6	0,44 mg
Vitamina E	2,4 mg
Potasio	317 mcg
Hierro	0,7 mg
Betacaroteno	2.436 mcg
Betacriptoxantina	735 mcg
Zeaxantina/Luteína	77 mcg

Bebida energética de pimiento rojo

2 PERSONAS   (V) (D) (E) (N) (R)

250 ml de zumo (jugo) de zanahoria

250 ml de zumo (jugo) de tomate

2 pimientos (morrones, pimientos
    morrones) rojos grandes
    despepitados y picados
    tóóóamente

1 cucharada de zumo (jugo) de
    limón

pimienta

Preparación

1 Vierta los zumos de zanahoria y tomate en un robot de cocina
    o batidora y bátalos hasta que se mezclen bien.

2 Agregue los pimientos y el zumo de limón. Añada pimienta
    generosamente y siga batiendo. Vierta el batido en vasos altos
    y sírvalo.

24

COLES DE BRUSELAS

Con un alto contenido en nutrientes saludables, las coles de Bruselas ofrecen elevados niveles de protección frente al cáncer.

Las coles de Bruselas son una importante verdura invernal que aporta altos niveles de vitamina C y muchos otros nutrientes que estimulan el sistema inmunitario. Son ricas en sulforafano, un desintoxicante que ayuda al organismo a limpiarse de carcinógenos potenciales. Se ha demostrado que un consumo regular de coles de Bruselas previene el deterioro del ADN y contribuye a minimizar la propagación del cáncer de mama. Incluso contienen pequeñas cantidades de grasas omega-3 beneficiosas, zinc y selenio, un mineral cuya cantidad diaria recomendada no consumen muchos adultos. Las personas que comen muchas coles de Bruselas y otras brasicáceas presentan un riesgo muy inferior de padecer cáncer de próstata, de pulmón y colorrectal.

- Son ricas en indoles y otros compuestos que protegen del cáncer y se cree que pueden frenar su propagación.
- Son muy ricas en vitamina C, que refuerza el sistema inmunitario.
- Su contenido en indoles reduce el colesterol «malo» en sangre.
- Su alto contenido en fibra propicia la salud del colon.

Consejos prácticos:

Elija coles de color verde vivo, duras y sin hojas amarillas. Cocidas al vapor o rápidamente en agua hirviendo es la mejor manera de elaborarlas y conservar sus nutrientes. Una cocción excesiva destruye gran parte de su contenido en vitamina C, altera el sabor de las coles y les confiere un olor desagradable.

VALOR NUTRITIVO DE 100 G DE COLES DE BRUSELAS

Kcal	43
Grasas totales	0,3 g
Proteínas	3,4 g
Carbohidratos	9 g
Fibra	3,8 g
Vitamina C	85 mg
Folato	61 mcg
Magnesio	23 mg
Calcio	42 mg
Selenio	1,6 mcg
Zinc	0,4 mg
Betacaroteno	450 mcg
Zeaxantina/Luteína	1.590 mcg

Coles de Bruselas con castañas

4 PERSONAS   (V) (D) (E) (N) (R)

350 g de coles de Bruselas
    (repollitos de Bruselas) limpias
2 cucharadas rasas de mantequilla
    (manteca)
100 g de castañas enteras en
    conserva asadas o cocidas
    envasadas al vacío
una pizca de nuez moscada rallada
sal y pimienta
125 g de almendras laminadas,
    para decorar

Preparación

1 Cueza las coles de Bruselas
   en una olla con agua hirviendo
   ligeramente salada durante
   5 minutos. Escúrralas bien.

2 Funda la mantequilla en una
   cazuela a fuego medio. Incorpore las coles de Bruselas y
   sofríalas 3 minutos; agregue las
   castañas y la nuez moscada.
   Salpimiente al gusto y remuévalo todo bien. Deje que se
   haga otros 2 minutos y luego
   retire la cazuela del fuego.
   Transfiéralo todo a una fuente
   templada, esparza por encima
   las almendras y sirva.

25

HABAS

El atributo estrella de las habas es que poseen un nivel excepcional de fibra y ayudan a reducir el colesterol «malo».

Las habas se encuentran frescas o congeladas, pero también pueden secarse y elaborarse de un modo similar a las judías. Las vainas que aún están verdes pueden cocerse y comerse enteras. Poseen un alto contenido en una forma de fibra soluble llamada arabinosa, que mejora el perfil lípido de la sangre. También contienen el flavonoide quercetina, que ayuda a prevenir cardiopatías. Son una buena fuente de betacaroteno (anticancerígeno), niacina (vitamina B3), folato, vitamina C y proteína vegetal. Aportan más calcio que la mayoría de las hortalizas, así como grandes cantidades de magnesio, hierro, zinc y potasio.

- Poseen un alto contenido en fibra, en gran parte soluble, que ayuda a reducir el colesterol «malo» en sangre.
- Su contenido en quercetina, magnesio y vitamina C protege el corazón.
- Son una buena fuente de minerales importantes.
- Estimulan la función del hígado y la vesícula biliar.

Consejos prácticos:
Las vainas frescas deben comerse cuando están verdes y firmes. Las habas blandas o con manchas marrones están pasadas. Han de cosecharse cuando son pequeñas para poder aprovechar la piel exterior, rica en fibra. Las vainas muy tiernas pueden comerse crudas; por lo demás es aconsejable desenvainar las habas y cocinarlas al vapor para conservar la vitamina C y la niacina.

¿SABÍA QUE...?
Las habas contienen L-dopa, una sustancia química que ayuda a producir dopamina, el neurotransmisor cerebral asociado con la sensación de «sentirse bien».

VALOR NUTRITIVO DE 100 g DE HABAS

Kcal	81
Grasas totales	0,6 g
Proteínas	8 g
Carbohidratos	11,7 g
Fibra	6,5 g
Vitamina C	8 mg
Folato	32 mcg
Niacina	3,0 mg
Betacaroteno	225 mcg
Magnesio	36 mg
Potasio	280 mg
Hierro	1,6 mg
Calcio	56 mg
Zinc	1,0 mg

Ensalada de habas

4 PERSONAS (v) (D) (E) (N) (R)

2,5 kg de habas frescas en vainas,
luego desenvainadas, o 425 g
de habas congeladas

2 tomates pelados, despepitados
y cortados en dados

3 cucharadas de albahaca fresca
en juliana

4 cucharadas rasas de virutas de
queso parmesano fresco

Aderezo

1 cucharadita de vinagre de vino
blanco

1 diente de ajo pequeño majado

4 cucharadas de aceite de oliva
virgen extra

sal y pimienta

Preparación

1 En una cazuela con agua
hirviendo, cueza las habas
3 minutos, hasta que estén
tiernas. Escúrralas y colóquelas
en una fuente o en 4 platos.

2 Bata los ingredientes del
aderezo en un cuenco o una
jarra y, con una cuchara,
échelos sobre las habas
mientras están aún calientes.

3 Esparza por encima la menta,
la albahaca y el parmesano.
Sirva la ensalada a
temperatura ambiente.

26 TOMATE

El tomate es uno de los ingredientes de ensalada más sanos, porque contiene licopeno, que protege frente al cáncer de próstata, y compuestos anticoagulantes.

Los tomates son nuestra principal fuente diaria de licopeno, un caroteno antioxidante que combate las cardiopatías y podría estar relacionado con la prevención del cáncer de próstata. Poseen además un efecto anticoagulante gracias a su contenido en salicilatos y otros antioxidantes, como vitamina C, quercetina y luteína. Los tomates son bajos en calorías y aportan potasio y fibra en abundancia.

¿SABÍA QUE...?

El licopeno es más activo en el tomate procesado, como el ketchup, el concentrado y el zumo de tomate, que en el tomate crudo.

* Son una fuente de licopeno, para la prevención del cáncer de próstata.
* Medio tomate contiene casi un cuarto de la ingesta diaria recomendada de vitamina C para un adulto.
* Son ricos en potasio, que ayuda a regular los fluidos corporales.
* Su contenido en quercetina y luteína ayuda a prevenir las cataratas y a mantener un corazón y unos ojos sanos.
* Contienen salicilatos con efecto anticoagulante.

VALOR NUTRITIVO DE 100 g DE TOMATE

Kcal	18
Grasas totales	0,2 g
Proteínas	0,9 g
Carbohidratos	3,9 g
Fibra	1,2 g
Vitamina C	12,7 mg
Potasio	237 mg
Licopeno	2.573 mcg
Zeaxantina/Luteína	123 mcg

Consejos prácticos:
Cuanto más maduro y rojo el tomate, mayor contenido en licopeno. Los tomates madurados en rama poseen más licopeno que los que maduran tras ser cosechados. La piel del tomate aporta más nutrientes que la pulpa y el corazón con las pepitas contiene muchos salicilatos, por lo que se recomienda no pelar ni despepitar los tomates si no es imprescindible. El organismo absorbe mejor el licopeno de los tomates si se comen con un poco de aceite, como el del aderezo de una ensalada.

Salsa de tomate

½ LITRO ⓥ ⓓ ⓔ ⓝ

1 cucharada de aceite de oliva

1 cebolla pequeña picada

2-3 dientes de ajo majados
   (opcional)

1 tallo de apio pequeño picado fino

1 hoja de laurel

450 g de tomates maduros
   pelados y troceados

1 cucharada de concentrado de
   tomate mezclada con 200 ml
   de agua

ramitas de orégano fresco

pimienta

Preparación

1 Caliente el aceite en una cazuela de fondo grueso. Eche la cebolla,
el ajo, el apio y el laurel, y sofríalo todo, removiendo, 5 minutos.

2 Incorpore los tomates y el concentrado disuelto. Condimente al
gusto con pimienta y añada el orégano. Lleve todo a ebullición.
Baje el fuego, tape la cazuela y cueza el sofrito a fuego lento,
removiendo de vez en cuando, entre 20 y 25 minutos, hasta que
los tomates se deshagan del todo. Si prefiere una salsa más densa,
prolongue la cocción otros 20 minutos.

3 Deseche el laurel y el orégano. Transfiera el sofrito a un robot de
cocina y tritúrelo hasta obtener un puré basto. Si prefiere una salsa
más suave, pásela por un colador no metálico. Pruébela y rectifique
de sal y pimienta. Recaliéntela cuando vaya a usarla.

27 ESPINACAS

En contra de la creencia popular, las espinacas no contienen demasiado hierro, pero sí se trata de una verdura sumamente saludable.

Las investigaciones han revelado que muchos compuestos flavonoides encontrados en las espinacas actúan como antioxidantes y combaten, entre otros, los cánceres de estómago, piel, mama y próstata. Las espinacas también contienen muchos carotenos, que protegen la vista. También aportan vitamina K, que fortalece los huesos e influye en la prevención de la osteoporosis. Además, contienen péptidos, unas moléculas de la proteína que reducen la presión arterial, y vitamina E, que protege el cerebro del deterioro cognitivo asociado al envejecimiento.

- Los flavonoides y el caroteno protegen de múltiples cánceres.
- Su contenido en vitamina C, folato y caroteno contribuye a mantener las arterias sanas y previene la ateroesclerosis.
- Protege la salud de los ojos.
- Su contenido en vitamina K refuerza la masa ósea.

Consejos prácticos:

No compre espinacas con las hojas amarillentas. El organismo absorbe mejor los carotenos de las espinacas cocinadas que crudas, y también si se toman con un poco de aceite. La cocción al vapor y los salteados retienen la mayoría de los antioxidantes. Para elaborar las espinacas basta con lavar las hojas y cocerlas en el agua que se queda impregnada en ellas, removiendo de vez en cuando si es preciso.

¿SABÍA QUE...?

Los animales de laboratorio viejos alimentados con una dieta rica en espinacas experimentan una mejora significativa de su capacidad de aprendizaje y motricidad.

VALOR NUTRITIVO DE 100 g DE ESPINACAS

Kcal	23
Grasas totales	0,4 g
Proteínas	2,9 g
Carbohidratos	3,6 g
Fibra	2,2 g
Vitamina C	28 mg
Folato	194 mcg
Vitamina E	2 mg
Vitamina K	482 mcg
Potasio	558 mg
Magnesio	79 mg
Calcio	99 mg
Hierro	2.7 mg
Betacaroteno	5.626 mcg
Zeaxantina/Luteína	12.198 mcg

Curry rojo con hojas variadas

4 PERSONAS (V)(D)(N)(R)

2 cucharadas de aceite de
   cacahuete (aceite de maní) o
   vegetal

2 cebollas en rodajas finas

1 puñado de espárragos trigueros

400ml de leche de coco deshatada
   (descremada)

2 cucharadas de pasta de curry rojo

3 hojas de lima kafir frescas

225 g de hojas de espinacas mini

2 cabezas de bok choy troceadas

1 cabezuela de col china (repollo
   chino) en juliana

un puñado de cilantro fresco
   picado

arroz hervido, para acompañar

Preparación

1   Caliente un *wok* a fuego medio-vivo 30 segundos, añada el aceite
    y hágalo girar para empapar el fondo. Transcurridos 30 segundos,
    eche las cebollas y los espárragos y saltéelos 1 o 2 minutos.

2   Agregue la leche de coco, la pasta de curry y las hojas de lima, y
    llévelo a ebullición a fuego lento. Eche las espinacas, el bok choy
    y la col, y cuézalos 2 o 3 minutos, hasta que se pochen. Sin dejar
    de remover, incorpore el cilantro. Sirva el curry con arroz.

28

AJO

Apreciado como alimento saludable desde hace miles de años, el ajo es un potente antibiótico y reduce el riesgo de padecer cardiopatías y cáncer.

Si bien acostumbra a consumirse en cantidades reducidas, el ajo tiene propiedades muy saludables. Es rico en compuestos de azufre, a los que debe su fuerte olor, pero son también su principal fuente de beneficios para la salud. El ajo ayuda a minimizar el riesgo de padecer cardiopatías y varios tipos de cáncer. Se trata de un potente antibiótico e inhibe micosis como el pie de atleta. Parece desempeñar un papel paliativo en las úlceras estomacales. Comido en cantidades razonables, es una buena fuente de vitamina C, selenio, potasio y calcio. Conviene majarlo o picarlo y dejarlo reposar unos minutos antes de cocinarlo.

- Previene la formación de trombos y placas arteriales y reduce el riesgo de sufrir cardiopatías.
- La ingesta regular de ajo reduce considerablemente el riesgo de padecer cáncer de colon, estómago y próstata.
- Es un antibiótico, antiviral y antifúngico natural.
- Ayuda a prevenir las úlceras estomacales.

Consejos prácticos:
Elija cabezas grandes, duras e intactas y guárdelas en un recipiente con agujeros, en un lugar oscuro, fresco y seco. Pele los ajos machacando los dientes con la hoja de una cuchilla de carnicero o un cuchillo y cocínelos brevemente, pues una cocción larga destruye sus compuestos beneficiosos. Comer un poquito de perejil después de una comida con ajo reduce el mal aliento.

¿SABÍA QUE...?

La carne cocinada a alta temperatura, por ejemplo asada o a la barbacoa, puede tener un efecto carcinógeno. Utilizar ajo en su cocción limita la producción de sustancias químicas cancerígenas.

VALOR NUTRITIVO DE 2 DIENTES DE AJO

Kcal	9
Grasas totales	Inapreciables
Proteínas	0,4 g
Carbohidratos	2 g
Fibra	Inapreciable
Vitamina C	2 mg
Potasio	24 mg
Calcio	11 mg
Selenio	1 mcg

Setas con ajo y vieiras

4 PERSONAS   (V) (D) (E) (N)

2 cabezas de ajo

2 cucharadas de aceite de oliva

350 g de setas (champiñones, hongos) variadas (cremini o portobello, champiñones y rebozuelos), cortadas por la mitad

1 cucharada de perejil fresco picado

8 vieiras en trozos de 2,5 cm

sal y pimienta

Preparación

1 Precaliente el horno a 180 °C. Corte el tallo superior de las cabezas de ajo y apriételas para aflojar un poco los dientes. Póngalas en una bandeja refractaria y salpiméntelas al gusto. Rocíelas con 2 cucharaditas de aceite y áselas 30 minutos. Retírelas del horno y riéguelas con 1 cucharadita del aceite restante. Devuélvalas al horno a asarse unos 20 minutos. Retire los ajos del horno. Déjelos enfriar y, cuando pueda manipularlos, pélelos.

2 Vierta el aceite de la bandeja en una sartén de fondo grueso. Agregue el resto del aceite y caliéntelo. Eche las setas y fríalas a fuego medio durante 4 minutos, removiendo con frecuencia.

3 Añada los dientes de ajo, el perejil y las vieiras y rehóguelo todo, removiendo con frecuencia, unos 5 minutos. Salpimiente al gusto y sírvalo inmediatamente.

29 ALCACHOFA

La alcachofa es baja en calorías e ideal para las personas a dieta. Su contenido en cinarina ayuda a mantener un hígado sano.

Manjar delicado, la alcachofa es la flor sin abrir de una gran planta perenne. Esta hortaliza puede servirse entera, a modo de tentempié, si bien sólo las bases carnosas de las hojas y el nutritivo corazón son comestibles. La alcachofa es una de las fuentes vegetales más ricas en un amplio espectro de minerales, incluidos el calcio, el hierro, el magnesio y el potasio. También posee un alto contenido en fibra y contiene un compuesto llamado cinarina, al cual se atribuye la capacidad de estimular el funcionamiento del hígado.

- Es una rica fuente de minerales como el calcio, el hierro y el magnesio (antioxidante), buenos para la salud de los huesos y del corazón.
- Posee un contenido muy elevado en fibra, en gran parte soluble, que mantiene un nivel saludable de colesterol en sangre.
- Constituye una buena fuente de vitamina C y folato.
- Es baja en calorías y en índice glucémico.

Consejos prácticos:

Las alcachofas mini pueden comerse enteras, mientras que en las grandes hay que cortar el tallo y el tercio superior y eliminar las hojas externas duras manualmente, una a una. Hiérvalas a fuego lento en agua con un poco de zumo de limón durante 20 minutos o hasta que las hojas se desprendan fácilmente. Cómase únicamente las bases carnosas de las hojas. Una vez retiradas las hojas, elimine las barbas para llegar al tierno corazón, delicioso servido con un aderezo caliente, frío en ensalada o con pasta.

¿SABÍA QUE…?

El hierro, el cobre y el aluminio oxidan y decoloran las alcachofas. Prepárelas siempre en acero inoxidable, vidrio o utensilios esmaltados.

VALOR NUTRITIVO DE UNA ALCACHOFA DE TAMAÑO MEDIANO

Kcal	60
Grasas totales	Inapreciables
Proteínas	4,2 g
Carbohidratos	13,4 g
Fibra	6,5 g
Vitamina C	12 mg
Folato	65 mcg
Potasio	425 mg
Magnesio	72 mg
Calcio	54 mg
Hierro	1,5 mg
Zeaxantina/Luteína	557 mcg

Corazones de alcachofa con espárragos

4-6 PERSONAS (V) (D) (E) (N) (R)

450 g de espárragos trigueros

400 g de corazones de alcachofa
(alcaucil) en conserva,
escurridos y aclarados

ensalada, para acompañar

Aderezo

2 cucharadas de zumo (jugo) de
naranja recién exprimido

½ cucharadita de ralladura fina
de naranja

2 cucharadas de aceite de nuez

1 cucharadita de mostaza de Dijon

sal y pimienta

Preparación

1 Corte y deseche los tallos
leñosos y bastos de los
espárragos. Asegúrese de que
todos los espárragos sean de
la misma longitud y átelos, sin
apretar, con bramante. Si tiene
una vaporera, no es preciso
que los ate; bastará con
colocarlos en la cesta.

2 En una cazuela, cueza los
espárragos en agua hirviendo
con sal durante 5 minutos a
fuego medio, hasta que estén
tiernos. Asegúrese de que las

puntas sobresalgan del agua.
Escúrralos, refrésquelos bajo
el agua fría del grifo y vuelva
a escurrirlos.

3 Corte los tallos de los
espárragos en trozos de
2,5 cm; conserve las puntas
intactas. Corte los corazones
de alcachofa en cuñas
pequeñas y mézclelos con los
espárragos en una ensaladera.

4 Eche en un cuenco el zumo y
la ralladura de naranja, el
aceite de nuez y la mostaza, y
bátalo todo bien. Salpimiente
el aderezo al gusto. Si va a
servir los espárragos con
alcachofa de inmediato,
riéguelos con el aderezo y
remueva con delicadeza.

5 Para servir, reparta la ensalada
en platos individuales y
corónela con la mezcla de
alcachofas y espárragos.

30

HINOJO

Los bulbos de hinojo contienen varios antioxidantes con propiedades antiinflamatorias y anticancerígenas.

El hinojo se cultiva por su bulbo grueso y crujiente. Es refrescante, ligeramente dulce y posee un fuerte sabor anisado. Contiene sustancias químicas vegetales causantes de su potente actividad antioxidante. Uno de los compuestos más interesantes del hinojo es el anetol. En estudios realizados en animales se ha demostrado que el anetol presente en el hinojo reduce las inflamaciones y ayuda a prevenir la aparición del cáncer. El hinojo es una fuente excelente de fibra, folato y potasio, y contiene una amplia variedad de nutrientes, como vitamina C, selenio, niacina (vitamina B3) y hierro. Su elevado contenido en potasio le confiere propiedades diuréticas y ayuda a eliminar el exceso de líquidos del organismo.

- Es diurético, digestivo, antiflatulento y antiinflamatorio.
- Es muy bajo en calorías; ideal para personas a dieta.
- Es rico en antioxidantes, que previenen enfermedades.

Consejos prácticos:
Escoja bulbos firmes y sólidos al tacto, con una pátina brillante y hojas de aspecto fresco. Guarde el hinojo en el frigorífico; tenga en cuenta que los bulbos pierden su sabor al cabo de unos días. El hinojo resulta delicioso cortado en rodajas finas en ensaladas y va especialmente bien con el pescado. Hornee un pescado entero envuelto en papel de aluminio sobre un lecho de rodajas de hinojo. El hinojo también puede cortarse a cuartos, dorarse en aceite y guisarse con un poco de caldo vegetal.

¿SABÍA QUE…?
El hinojo es un pariente cercano de la hierba del mismo nombre y las hojas superiores pueden trocearse y usarse igual que ésta.

VALOR NUTRITIVO DE MEDIO BULBO DE HINOJO

Kcal	12
Grasas totales	Inapreciables
Proteínas	0,9 g
Carbohidratos	1,8 g
Fibra	2,4 g
Vitamina C	5 mg
Folato	42 mcg
Betacaroteno	140 mg
Calcio	24 mg
Potasio	440 mg
Selenio	0,7 mcg

Ensalada de hinojo y naranja

4 PERSONAS Ⓥ Ⓓ Ⓔ Ⓝ Ⓡ

2 naranjas peladas y cortadas en
   rodajas
1 bulbo de hinojo dulce cortado en
   rodajas finas y hojas de hinojo,
   para decorar
1 cebolla roja cortada en aros finos
pimienta

Aderezo

el zumo (jugo) de 1 naranja
2 cucharadas de vinagre balsámico

Preparación

1 Disponga las rodajas de naranja en la base de una fuente poco
profunda. Cúbralas con una capa de hinojo y una tercera de cebolla.

2 Mezcle el zumo de naranja con el vinagre y aderece la ensalada.
Sazónela con pimienta, decórela con ramitas de hinojo y sírvala

31

COL RIZADA

La col rizada, de color verde intenso, es la hortaliza con mayor nivel de antioxidantes y una fuente excelente de vitamina C.

La col rizada es uno de los miembros más nutritivos del género de las brasicáceas. Es la hortaliza con mayor poder antioxidante de la escala ORAC y contiene más calcio y hierro que ninguna otra. Una ración aporta el doble de la cantidad diaria recomendada de vitamina C, que ayuda a nuestro organismo a asimilar el alto contenido en hierro de la col. Una ración también aporta una quinta parte de la dosis diaria de calcio recomendada para un adulto. La col rizada es rica en selenio, que ayuda a combatir el cáncer, y posee magnesio y vitamina E, para mantener un corazón sano. Los nutrientes que aporta la col rizada ayudan a lucir una piel joven y sana.

- Es rica en flavonoides y antioxidantes, para combatir el cáncer.
- Contiene indoles, que ayudan a reducir el colesterol «malo» y prevenir el cáncer.
- Es rica en calcio, para unos huesos sanos.
- Es extremadamente rica en carotenos, que protege los ojos.

Consejos prácticos:

Lave la col rizada antes de prepararla, pues sus hojas pueden tener restos de arena o tierra. No deseche las hojas exteriores, de un verde más intenso, ya que contienen grandes cantidades de carotenos e indoles. La col rizada es excelente al vapor o salteada, y su intenso sabor va bien con beicon, huevos y queso. Al igual que las espinacas, la col rizada merma mucho durante la cocción, dato a tener en cuenta al llenar la cazuela.

¿SABÍA QUE...?

La col rizada contiene sustancias naturales que pueden interferir con el funcionamiento de la glándula tiroides y puede ser nociva para las personas con tiroidismo.

VALOR NUTRITIVO DE 100 G DE COL RIZADA

Kcal	50
Grasas totales	0,7 g
Proteínas	3,3 g
Carbohidratos	10 g
Fibra	2 g
Vitamina C	120 mg
Folato	29 mcg
Vitamina E	1,7 mg
Potasio	447 mg
Magnesio	34 mg
Calcio	135 mg
Hierro	1,7 mg
Selenio	0,9 mcg
Betacaroteno	9.226 mcg
Zeaxantina/Luteína	39.550 mcg

Salteado de col rizada

4 PERSONAS (V) (D) (E) (N) (R)

750 g de col rizada (repollo rizado)
2 cucharadas de aceite de girasol
1 cebolla picada
4 dientes de ajo grandes majados
2 pimientos (morrones, pimientos morrones) rojos en aros finos
1 zanahoria pelada y rallada
100 g de cabezuelas de brócoli (flores de brócoli)
una pizca de guindilla (chile) en polvo
125 ml de caldo de verduras
115 g de brotes de soja (soya) frescos
sal y pimienta
anacardos (castañas de Cajú) tostados y picados, para decorar
arroz hervido y cuñas de limón

Preparación

1 Con un cuchillo afilado, retire los cogollos de la col rizada. Apile varias hojas unas encima de otras y córtelas a lo ancho en juliana; repita la operación hasta haber cortado toda la col. Resérvela.

2 Caliente una sartén o un *wok* grandes con tapadera a fuego vivo durante 30 segundos. Añada el aceite y hágalo girar para cubrir el fondo; caliéntelo 30 segundos. Eche la cebolla y saltéela 3 minutos; a continuación agregue el ajo, el pimiento y la zanahoria y sofríalo todo hasta que la cebolla esté tierna y los pimientos se empiecen a ablandar. Incorpore el brócoli y la guindilla, y remueva bien.

3 Eche la col rizada al *wok* y remueva bien; luego vierta el caldo y salpimiente al gusto. Baje el fuego a medio, tape el *wok* y déjelo cocer unos 5 minutos, hasta que la col rizada esté tierna.

4 Retire la tapadera y deje que se evapore el líquido sobrante. Incorpore los brotes de soja y, con ayuda de 2 tenedores, mézclelos con el resto de los ingredientes. Rectifique de sal y pimienta si es preciso. Sirva las hortalizas sobre un lecho de arroz, decoradas con anacardos y unas cuñas de limón al lado, para exprimirlas por encima.

32 APIO

Rico en potasio y en calcio, el apio ayuda a reducir la retención de líquidos y previene la hipertensión.

El apio se considera un alimento ideal para personas a dieta por su elevado contenido en agua y el consiguiente bajo contenido en calorías. De hecho, se trata de una hortaliza versátil y sana por muchas razones. Es una fuente excelente de potasio, además de contener mucho calcio, esencial para disfrutar de unos huesos fuertes, unos niveles saludables de presión arterial y una función nerviosa óptima. Los tallos más verdes y las hojas del apio contienen carotenos y aportan más minerales y vitamina C que las hojas más claras, de modo que se aconseja no desecharlos. El apio también contiene compuestos con propiedades antiinflamatorias y reguladoras de la presión arterial, como los ftálidos.

- Es bajo en calorías y grasas y tiene un alto contenido en fibra.
- Es una buena fuente de potasio.
- El calcio protege los huesos y ayuda a regular la presión arterial.
- Tiene propiedades antiinflamatorias.

Consejos prácticos:

Elija apios con hojas de color verde intenso y aspecto lozano. Guárdelos en una bolsa de plástico o en film transparente para evitar que se mustien. El apio es ideal para aportar sabor y consistencia a las sopas y los guisos. Cortadas en cuartos, las cabezas se pueden estofar en caldo de verduras y servirse como guarnición de pescado, carne de ave y caza. Las hojas se usan en ensaladas y salteados, así como para decorar.

¿SABÍA QUE...?

El apio contiene elevados niveles de nitratos, asociados con un mayor riesgo de contraer cáncer. Ahora bien, los estudios han demostrado que las hortalizas con muchos nitratos suelen presentar también altos niveles de sustancias neutralizantes.

VALOR NUTRITIVO DE UN TALLO DE APIO DE 100 G

Kcal	14
Grasas totales	Inapreciables
Proteínas	0,7 g
Carbohidratos	3 g
Fibra	1,6 g
Vitamina C	3 mg
Folato	36 mcg
Vitamina K	35 mcg
Potasio	260 mg
Calcio	40 mg
Magnesio	11 mg

Batido vigorizador de apio y manzana

2 PERSONAS (V) (D) (E) (N) (R)

115 g de apio troceado

1 manzana pelada, descorazonada
   y cortada en dados

625 ml de leche

una pizca de azúcar (opcional)

sal (opcional)

tiras de apio, para decorar

Preparación

1 Bata el apio, la manzana y la leche en una batidora hasta obtener
   una masa homogénea.

2 Sin dejar de batir, incorpore el azúcar y la sal (opcional). Vierta
   el batido en vasos fríos, adórnelos con tiras de apio y sírvelo

33

ESPÁRRAGO

El peculiar espárrago es antiinflamatorio y contiene un tipo de fibra que ayuda a disfrutar de un sistema digestivo sano.

El glutatión, una sustancia química vegetal hallada en los espárragos, tiene propiedades antiinflamatorias y alivia los síntomas de la artritis reumatoide. Esta hortaliza posee además un alto contenido en oligosacáridos, una fibra soluble que actúa como prebiótico en el intestino, estimulando el desarrollo de bacterias «amigas». Los espárragos aportan mucha vitamina C, folato, magnesio, potasio y hierro. Presentan la peculiaridad entre las hortalizas de ser una buena fuente de vitamina E, un antioxidante que ayuda a mantener un corazón y un sistema inmunitario sanos.

- El glutatión presente en los espárragos es antiinflamatorio.
- La fibra actúa como prebiótico, para un intestino sano.
- Es una buena fuente de varias vitaminas importantes, como la E.
- Es rico en hierro, aporta energía, ayuda a la curación y combate la infección.

¿SABÍA QUE...?

Los espárragos contienen purinas, una sustancia que estimula la producción de ácido úrico, que puede provocar brotes de gota. Las personas con gota no deben comer espárragos, al menos en exceso.

Consejos prácticos:

Los espárragos deben comerse lo antes posible tras su cosecha, pues no se conservan bien. Si es preciso, guárdelos en una bolsa de plástico en el frigorífico un máximo de dos días. Si es posible, cuézalos de pie en una cazuela alta para evitar que sus delicadas puntas se cuezan en exceso antes de que los tallos estén tiernos. Los espárragos grandes pueden untarse con aceite y asarse 2 o 3 minutos por cada lado, hasta que estén tiernos. Los más pequeños se pueden usar en quiches, sopas y risottos.

VALOR NUTRITIVO DE 10 ESPÁRRAGOS

Kcal	24
Grasas totales	Inapreciables
Proteínas	2,6 g
Carbohidratos	4,7 g
Fibra	2,5 g
Vitamina C	6,7 mg
Vitamina E	1,36 mg
Folato	62 mcg
Potasio	242 mg
Calcio	29 mg
Magnesio	17 mg
Hierro	2,6 mg

Espárragos con aderezo de tomate dulce

4 PERSONAS (V) (D) (E) (N) (R)

5 cucharadas de aceite de oliva
  virgen extra, y un poco más
  para untar
125 g de piñones
500 g de espárragos trigueros
  tiernos limpios
25 g de virutas de queso
  parmesano

Aderezo

350 g de tomates pelados,
  despepitados y troceados
2 cucharadas de vinagre balsámico
sal y pimienta

Preparación

1 Unte una parrilla con un poco del aceite y caliente el grill a fuego
   vivo. Caliente una sartén antiadherente a fuego medio. Eche los
   piñones y tuéstelos ligeramente, hasta que empiecen a dorarse.
   Páselos a un bol y resérvelos.

2 Prepare el aderezo mezclando el tomate, el vinagre y el aceite en
   un cuenco. Salpiméntelo al gusto y resérvelo.

3 Disponga los espárragos en la parrilla y áselos bajo el grill
   precalentado 3 o 4 minutos, hasta que estén tiernos. Transfiéralos
   con cuidado a una bandeja. Con una cuchara, alíñelos con el
   aderezo, esparza por encima los piñones y el parmesano, y sírvalos.

34 GUISANTES

Frescos o congelados, los guisantes son una excelente fuente de vitamina C, fibra, proteína y luteína, y ayudan a disfrutar de unos ojos sanos.

Los guisantes contienen una amplia variedad de vitaminas y minerales útiles para el organismo. Poseen elevadas cantidades de vitamina C, folato y vitamina B3, y su alto contenido en luteína y zeaxantina protege nuestros ojos de la degeneración macular. Las vitaminas B que aportan también protegen nuestros huesos de la osteoporosis y disminuyen el riesgo de padecer apoplejías, pues mantienen bajos los niveles en sangre del aminoácido homocisteína. Los guisantes, ricos en proteínas, son excelentes para los vegetarianos. Además, su elevado contenido en fibra presenta pectina, una sustancia gelatinosa que ayuda a reducir el colesterol «malo» en sangre y a prevenir las cardiopatías y las enfermedades arteriales.

- Contienen nutrientes y sustancias químicas saludables.
- Son ricos en vitamina C y en carotenos, que protegen los ojos y reducen el riesgo de padecer cáncer.
- Su contenido en fibras totales y solubles regula el colesterol.

Consejos prácticos:
Al adquirir guisantes en vaina, elija los que no estén envasados muy prietos. Los guisantes viejos pierden su sabor y se vuelven casi cuadrados y harinosos, porque sus azúcares se transforman en almidón. Las vainas jóvenes pueden comerse tal cual, incluso crudas. Prepare los guisantes al vapor o cuézalos con el mínimo de agua, pues la vitamina C suele filtrarse en ésta.

¿SABÍA QUE...?

Los guisantes congelados (se congelan horas después de cosecharse) contienen más vitamina C y nutrientes que los guisantes frescos en vaina, que pueden venderse días después de la cosecha.

VALOR NUTRITIVO DE 100 g DE GUISANTES DESENVAINADOS

Kcal	81
Grasas totales	0,4 g
Proteínas	5,4 g
Carbohidratos	14,5 g
Fibra	5,1 g
Vitamina C	40 mg
Folato	65 mcg
Niacina	2,1 mg
Magnesio	33 mg
Potasio	244 mg
Hierro	1,5 mg
Calcio	56 mg
Zinc	1.2 mg
Zeaxantina/Luteína	2.477 mcg

Sopa fría de guisantes

3-4 PERSONAS   Ⓥ Ⓓ Ⓔ Ⓝ Ⓡ

450 ml de caldo de verduras
o agua
1¼ kg de guisantes (chícharos,
legumbres) congelados
55 g de cebolletas (cebollas de
Verdeo) picadas toscamente
315 ml de yogur (yoghurt) natural
sal y pimienta

Para decorar

2 cucharadas de menta fresca
picada
2 cucharadas de cebolletas
(cebollas de Verdeo) o
cebollinos (ciboulettes) enteros
ralladura de limón
aceite de oliva

Preparación

1 Lleve el caldo a ebullición en una olla a fuego medio. Baje el fuego y eche los guisantes y las cebolletas. Cuézalos 5 minutos.

2 Déjelos enfriar ligeramente; luego cuélelos dos veces asegurándose de eliminar todos los restos de piel. Transfiéralos a una fuente grande, salpiméntelos al gusto e incorpore el yogur. Tape la fuente con film transparente y refrigérela varias horas, hasta que la sopa esté bien fría.

3 A la hora de servirla, remuévala bien y viértala en escudillas. Adórnela con la menta y las cebolletas picadas, la ralladura de limón y unas gotitas de aceite de oliva.

35 REMOLACHA

Esta raíz dulce y de vivo color tal vez no sea la hortaliza con más nutrientes, pero conviene no olvidarla, sobre todo en invierno, cuando su valor es incalculable.

Existen variedades blancas y doradas de remolacha, además de la clásica variedad morada, la mayor fuente de nutrientes. La betaína, el antioxidante responsable de su intenso color, es más eficaz que los polifenoles a la hora de reducir la presión arterial. Un estudio científico ha detectado que los elevados niveles de nitratos del zumo de la remolacha actúan como la aspirina en la prevención de los trombos y protegen las paredes de los vasos sanguíneos. La remolacha roja es además rica en antocianinas, que ayudan a prevenir el cáncer de colon, entre otros.

- Contiene betaína, una sustancia antiinflamatoria que reduce la presión arterial.
- Contiene nitratos, que ayudan a prevenir los trombos.
- Las antocianinas actúan en la prevención de algunos cánceres.
- Es una buena fuente de hierro, magnesio y folato.

Consejos prácticos:

Conserve las remolachas cocinadas en un recipiente hermético varios días en el frigorífico o bien hágalas puré antes de congelarlas. Para prepararlas, corte las hojas, pero deje unos 5 cm de tallo y la raíz intactos: esto evita que «sangren» al cocerse. Hiérvalas enteras durante 50 minutos o úntelas con un poco de aceite y horneélas envueltas en papel de aluminio a 200 °C durante 1 hora. La piel se desprende al frotarlas. También se pueden usar crudas, peladas y ralladas, en ensaladas y salsas, o exprimidas en zumo.

¿SABÍA QUE...?

En el pasado, la remolacha se cultivaba por sus nutritivas hojas, que pueden comerse cuando son pequeñas, cocinadas como espinacas.

VALOR NUTRITIVO DE 100 g DE REMOLACHA

Kcal	36
Grasas totales	Inapreciables
Proteínas	1,7 g
Carbohidratos	7,6 g
Fibra	1,9 g
Vitamina C	5 mg
Folato	150 mcg
Potasio	380 mg
Calcio	20 mg
Hierro	1,0 mg
Magnesio	23 mg

Ensalada de remolacha y espinacas

4 PERSONAS (V) (D) (E) (N) (R)

650 g de remolachas cocidas

3 cucharadas de aceite de oliva
virgen extra

el zumo (jugo) de 1 naranja

1 cucharadita de azúcar extrafino
(azúcar impalpable)

1 cucharadita de semillas de hinojo

115 g de hojas frescas de
espinacas mini

sal y pimienta

Preparación

1 Con un cuchillo afilado, corte en dados las remolachas y resérvelas. Caliente el aceite en una cazuela de fondo grueso. Incorpore el zumo de naranja, el azúcar y las semillas de hinojo, y salpimiente al gusto. Remueva sin cesar hasta que el azúcar se haya disuelto.

2 Agregue las remolachas a la cazuela y remueva suavemente hasta impregnarlas bien. Retire la cazuela del fuego.

3 Disponga las hojas de espinaca en una ensaladera grande. Con un cucharón, corónelas con la remolacha y sirva la ensalada.

36 COL LOMBARDA

Esta hortaliza es rica en compuestos que nos protegen del cáncer y de los signos del envejecimiento.

Miembro del género de las brasicáceas, la col lombarda, de color morado, es rica en nutrientes y sustancias vegetales que protegen el organismo, como los indoles, asociados a la prevención de los cánceres de origen hormonal (mama, útero y ovarios); el sulforofano, que puede ayudar a bloquear las sustancias químicas carcinógenas, y los monoterpenos, que protegen las células del organismo de los daños provocados por los radicales libres. La col lombarda posee muchos más carotenos beneficiosos para el sistema inmunitario que el resto de las coles; el licopeno se ha relacionado con la prevención del cáncer de próstata y se estudia el poder de las antocianinas frente al *alzheimer*. La col lombarda aporta más vitamina C que las variedades más claras y es una buena fuente de minerales, como calcio y selenio.

- Contiene multitud de sustancias que combaten el cáncer.
- Es baja en calorías, con un bajo índice glucémico, ideal para personas a dieta.
- Es rica en vitamina C antioxidante.
- La antocianina podría ser un arma contra el *alzheimer*.

Consejos prácticos:

En juliana, se puede usar en la ensalada de col en lugar de la col blanca. Rocíela con zumo de limón o aderezo de ensalada para evitar que se ponga gris. Una vez cortada, conviene consumirla en uno o dos días. Cocida al vapor conserva los máximos nutrientes.

¿SABÍA QUE...?

Las hojas de la col tienen propiedades antisépticas y curativas y pueden aplicarse sobre heridas y moretones para aliviar el dolor.

VALOR NUTRITIVO DE 100 g DE COL LOMBARDA

Kcal	**31**
Grasas totales	**Inapreciables**
Proteínas	**1,4 g**
Carbohidratos	**7,4 g**
Fibra	**2,1 g**
Vitamina C	**57 mg**
Folato	**18 mcg**
Niacina	**0,4 mg**
Potasio	**243 mg**
Hierro	**0,8 mg**
Calcio	**45 mg**
Selenio	**0,6 mcg**
Betacaroteno	**670 mg**
Zeaxantina/Luteína	**329 mcg**

Salteado de col y nueces

4 PERSONAS Ⓥ Ⓓ Ⓝ Ⓡ

350 g de col blanca (repollo blanco)

350 g de col lombarda (repollo
   colorado)

4 cucharadas de aceite de
   cacahuete (aceite de maní)

1 cucharada de aceite de nuez

2 dientes de ajo majados

8 chalotes (echalotes) limpios

225 g de tofu firme en dados

2 cucharadas de zumo (jugo)
   de limón

250 g de nueces por la mitad

2 cucharaditas de mostaza de Dijon

sal y pimienta

2 cucharaditas de semillas de
   amapola, para decorar

Preparación

1 Con un cuchillo afilado, corte en juliana las coles. Resérvelas.

2 Caliente un *wok* a fuego vivo durante 30 segundos. Añada los
   aceites, remueva bien hasta que cubran el fondo del *wok* y
   caliéntelos otros 30 segundos. Añada el ajo, las coles, los
   chalotes y el tofu, y saltéelo todo 5 minutos.

3 Incorpore el zumo de limón, las nueces y la mostaza al *wok* y
   remuévalo todo para mezclarlo bien. Salpimiente el salteado
   al gusto y déjelo al fuego otros 5 minutos o hasta que la col
   esté tierna.

4 Transfiera el salteado a una fuente, espolvoree por encima
   las semillas de amapola y sírvalo de inmediato.

37 ALGAS

Ricas en yodo, que favorece la función tiroidea, en zinc, que fomenta la fertilidad, y en calcio, excelente para los huesos, las algas son muy nutritivas.

Aunque existen miles de variedades de algas, sólo unas cuantas están comercializadas o se usan habitualmente a modo de verduras. A menudo se encuentran deshidratadas, y las más conocidas son: el sargazo, verde oscuro y plano (también conocido como kombu); la dulse, granate; la nori, verde o púrpura, y la wakame, verde oscura o marrón. El valor nutritivo de las distintas algas varía, pero la mayoría son ricas en hierro, calcio, zinc, magnesio y yodo, un mineral que estimula la acción de la glándula tiroides, regula el metabolismo y fortalece la función auditiva. Las algas aportan folato y son bajas en calorías.

- Son ricas en minerales de fácil absorción; ideales para vegetarianos.
- Son excelentes para personas a dieta, pues son bajas en calorías y contienen agar, una sustancia gelatinosa que transmite sensación de saciedad.
- Se estudia su poder antiviral y anticancerígeno.
- Son una fuente excelente de yodo, que estimula el metabolismo.

Consejos prácticos:
Las algas frescas para el consumo deben proceder de aguas no contaminadas. Se pueden usar troceadas en sopas o salteadas como aderezo. En algunas zonas del Reino Unido se elabora con lechuga de mar un pan plano que se fríe con poco aceite. Rehidrate las algas desecadas según indica el envase y utilícelas igual que las frescas. Las láminas grandes de nori se usan para envolver el sushi.

VALOR NUTRITIVO DE 50 G DE SARGAZO

Kcal	22
Grasas totales	0,3 g
Proteínas	0,8 g
Carbohidratos	4,8 g
Fibra	0,7 g
Calcio	84 mg
Hierro	1,4 mg
Magnesio	61 mg
Potasio	45 mg
Zinc	0,06 mg
Yodo	1.037 mcg
Folato	90 mcg

Sushi mixto

4 PERSONAS (**D**) (**N**)

315 g de arroz de sushi

2 cucharadas de vinagre de arroz

1 cucharadita de azúcar extrafino
   (azúcar impalpable)

½ cucharadita de sal

4 láminas de nari (alga), para envolver

50 g de salmón ahumado

un trozo de pepino de 4 cm
   pelado, despepitado y cortado
   en bastoncillos

40 g de gambas (langostinos)
   cocidas peladas

1 aguacate (palta) pelado, cortado
   a rodajas finas y empapado en
   zumo (jugo) de limón

Para acompañar

wasabi, tamari, jengibre encurtido

Preparación

1 Ponga el arroz en una cazuela y cúbralo con agua fría. Llévelo a ebullición, baje el fuego, tápelo y cuézalo de 15 a 20 minutos o hasta que esté tierno y el agua se haya evaporado. Escúrralo si es preciso y páselo a un cuenco. Mezcle el vinagre, el azúcar y la sal y, con ayuda de una espátula, añádalos al arroz. Tape la cazuela con un paño húmedo y deje enfriar.

2 Para elaborar los rollos, coloque una esterilla de bambú limpia sobre una tabla de cortar. Disponga sobre ella una lámina de nori, con la cara brillante hacia abajo. Extienda un cuarto de la mezcla de arroz sobre la lámina de nori; humedézcase los dedos para presionarla hasta que quede uniforme, dejando un margen de 1 cm tanto por arriba como por abajo.

3 Para los rollos de salmón y pepino, disponga el salmón sobre el arroz y el pepino formando una línea a lo largo del centro. Para los rollos de gamba, disponga las gambas y el aguacate formando una línea a lo largo del centro.

4 Con cuidado, levante el borde más cercano de la esterilla y, utilizándola a modo de guía, enrolle la nori bien prieta hasta crear un tubo de arroz alrededor del relleno. Selle el borde sin tapar con un poco de agua y luego desenrolle el sushi de la esterilla. Repita la operación hasta elaborar otros 3 rollos: 2 de salmón y pepino y 2 de gambas y tomate.

5 Con un cuchillo húmedo, corte cada rollo en 8 piezas y dispóngalas de pie sobre una bandeja. Limpie y aclare el cuchillo entre cortes para evitar que se pegue. Sirva los rollos con wasabi, tamari y jengibre encurtido.

38

SETAS

Los compuestos de las setas estimulan el sistema inmunitario y ayudan a prevenir cánceres, infecciones y enfermedades autoinmunes como la artritis y el lupus.

Las setas comercializadas más habituales son los champiñones y los rebozuelos, pero existen muchas otras variedades, como las setas shiitake chinas, las setas porcini italianas y las setas silvestres. Si bien la cantidad de sustancias beneficiosas varía en función de la variedad y la edad (cuanto más viejas y oscuras, más beneficiosas), la mayoría de las setas son ricas es sustancias químicas vegetales que refuerzan el sistema inmunitario. Un componente activo de las setas con propiedades beneficiosas es el ácido glutámico, una forma natural de glutamato monosódico. Las setas también aportan muchas proteínas.

- Contienen sustancias que ayudan a prevenir el cáncer y las enfermedades autoinmunes.
- Son una fuente ideal de proteínas para vegetarianos y personas a dieta.
- Son ricas en selenio, un mineral antioxidante y anticancerígeno.
- Constituyen una buena fuente de vitaminas B, como folatos y niacina, que ayudan a reducir el colesterol.

¿SABÍA QUE...?

No conviene recoger setas del bosque a menos que se cuente con asesoramiento de un experto. Algunas variedades parecen inocuas, pero son venenosas.

VALOR NUTRITIVO DE 85 G DE SETAS

Kcal	22
Grasas totales	Inapreciables
Proteínas	2,1 g
Carbohidratos	4,2 g
Fibra	1,3 g
Niacina (vitamina B3)	3,8 mg
Folatos	18 mcg
Calcio	7 mg
Hierro	0,5 mg
Potasio	407 mg
Selenio	9,2 mcg
Zinc	0,5 mg

Consejos prácticos:

Guárdelas en el frigorífico, a ser posible en una bolsa de papel, para que transpiren. La mayoría no hace falta lavarlas; si tienen restos de tierra, límpielas suavemente con papel de cocina. No pele las setas ni deseche los tallos: son los que más sustancias beneficiosas aportan.

Ensalada de setas variadas

4 PERSONAS (v) (D) (N)

3 cucharadas de piñones
2 cebollas rojas picadas
4 cucharadas de aceite de oliva
2 dientes de ajo majados
3 rebanadas de pan integral
    cortado en dados
200 g de hojas de lechuga variadas
250 g de setas (champiñones,
    hongos) cremini (portobello)
    laminadas
150 g de setas (champiñones,
    hongos) shiitake laminadas
150 g de gírgolas desmenuzadas

Aderezo

1 diente de ajo majado
2 cucharadas de vinagre de vino
    tinto
4 cucharadas de aceite de nuez
1 cucharada de perejil fresco
    picado fino
pimienta

Preparación

1 Precaliente el horno a 180 °C.
Caliente una sartén antiadherente a fuego medio. Eche los
piñones y tuéstelos hasta que
se doren. Transfiéralos a un
cuenco y resérvelos.

2 Ponga las cebollas y
1 cucharada de aceite en una
fuente de horno y remueva
bien para empaparlas. Ase
las cebollas en el horno
30 minutos.

3 Mientras, caliente 1 cucharada
del aceite restante en la sartén
a fuego vivo. Añada el pan y
fríalo durante 5 minutos o
hasta que esté dorado y
crujiente. Retírelo de la sartén
y resérvelo.

4 Reparta las hojas de lechuga
entre 4 platos y añada las
cebollas asadas.

5 Para elaborar el aderezo,
mezcle el ajo, el vinagre y
el aceite en un cuenco.
Incorpore el perejil, remueva y
salpimiente al gusto. Rocíe la
ensalada con el aderezo.

6 Caliente el resto del aceite en
una sartén. Eche las setas
cremini y shiitake, y fríalas
entre 2 y 3 minutos, removiendo con frecuencia. Agregue
las gírgolas y siga rehogando
otros 2 o 3 minutos. Reparta
las setas entre los 4 platos.
Esparza por encima los
piñones y los picatostes,
y sirva la ensalada.

39

BONIATO

El boniato, con su dulce carne anaranjada, es rico en carotenos y sustancias que reducen el colesterol, y es un alimento ideal para mantener el hambre a raya.

VALOR NUTRITIVO DE 150 g DE BONIATO

Kcal	129
Grasas totales	Inapreciables
Proteínas	2,4 g
Carbohidratos	30,2 g
Fibra	4,5 g
Vitamina C	3,6 mg
Vitamina E	0,4 mg
Potasio	506 mg
Calcio	45 mg
Hierro	0,9 mg
Magnesio	38 mg
Zinc	0,5 mg
Selenio	0,9 mcg
Betacaroteno	12.760 mcg

Los boniatos poseen una textura cremosa y un sabor dulce y ligeramente picante. Existen dos variedades: de carne blanca (ñames) y de carne naranja. La variedad naranja contiene más nutrientes y de ella nos ocupamos en este apartado. Los boniatos aportan más nutrientes que las patatas y tienen un índice glucémico inferior, lo cual los hace idóneos para diabéticos y personas a dieta y para regular los niveles de azúcar en sangre. Contienen esteroles vegetales y pectinas, que reducen el colesterol «malo» en sangre. Poseen un contenido sumamente alto en betacaroteno y son una fuente excelente de vitamina E, magnesio y selenio.

- Los carotenos poseen una potente acción anticancerígena.
- Los esteroles y la pectina reducen el colesterol «malo».
- Tiene un bajo índice glucémico, ideal para personas a dieta.
- Los antioxidantes y la vitamina E ayudan a lucir una piel sana.
- Su alto contenido en potasio regula los fluidos corporales y evita la retención de líquidos.

Consejos prácticos:

En muchas recetas, la patata puede sustituirse por boniato, pero recuerde que la piel de éste suele estar encerada o tratada con sustancias químicas y, por ello, no siempre es comestible. Se usan en currys, pastas, guisos y sopas; asados y en puré con aceite, y al horno, cortados por la mitad y aderezados con aceite. El aceite facilita la absorción del caroteno.

Curry de boniato con lentejas

2 PERSONAS   (V) (D) (E) (N)

1 cucharadita de aceite vegetal

100 g de boniato (batata, camote)
    pelado cortado en dados

75 g de patata (papa) pelada
    cortada en dados

1 cebolla pequeña picada fina

1 diente de ajo pequeño picado
    fino

1 guindilla (chile) verde fresca
    pequeña despepitada y picada

½ cucharadita de jengibre molido

65 g de lentejas verdes crudas

65-85 ml de caldo de verduras
    caliente

½ cucharadita de garam masala

1 cucharada de yogur (yoghurt)
    natural desnatado (descremado)

pimienta

Preparación

1 Caliente el aceite en una cazuela antiadherente con tapa. Saltee el boniato a fuego medio 5 minutos, removiéndolo de vez en cuando.

2 Mientras, cueza la patata en otra cazuela con agua. Cuando rompa a hervir, baje el fuego y cuécela 8 minutos, hasta que quede tierna. Escúrrala y resérvela.

3 Una vez dorados, retire los dados de boniato con una espumadera y eche la cebolla a la cazuela. Rehóguela 5 minutos, hasta que quede traslúcida. Agregue el ajo, la guindilla y el jengibre, y remueva durante 1 minuto. Devuelva el boniato a la cazuela, con la patata y las lentejas, la mitad del caldo, la pimienta y el garam masala, y remueva. Cuando hierva, tape la cazuela y cueza el curry 20 minutos; añada caldo si se reseca. Mézclelo con el yogur y sírvalo.

40

CEBOLLA

La cebolla es uno de los alimentos más saludables, pues contiene sulfuros, antibióticos naturales que protegen del cáncer y de las cardiopatías.

Las cebollas contienen altos niveles de un potente compuesto, el sulfuro de dialilo, responsable de su fuerte olor, que ayuda a prevenir el cáncer bloqueando los efectos de los carcinógenos (partículas causantes del cáncer) en el organismo. Las cebollas también contienen flavonoides, como la quercetina, antioxidantes que previenen la trombosis y protegen frente a las cardiopatías y el cáncer. Se trata de una hortaliza con propiedades antiinflamatorias y antibióticas que ayuda a aliviar la congestión nasal en el resfriado. Es además rica en cromo, un oligoelemento que ayuda a las células a responder a la insulina, así como en vitamina C y otros oligoelementos.

- Protege de varios cánceres, incluido el de pulmón.
- Protege el corazón y el sistema circulatorio y aumenta el colesterol «bueno» en sangre.
- Es antiinflamatoria, alivia los síntomas de la artritis.
- Es antibiótica, ayuda a frenar el resfriado.
- Regula la respuesta a la insulina.

Consejos prácticos:

Las cebollas se conservan varios meses en lugares frescos, secos y aireados (siempre que no se toquen entre sí), si bien su contenido en vitamina C disminuye con el tiempo. Para elaborarlas, rehóguelas en aceite para conservar los máximos nutrientes. Las cebollas suaves pueden cortarse en aros y comerse crudas.

¿SABÍA QUE...?

Si cocina las cebollas a fuego vivo destruirá un gran porcentaje de los compuestos de sulfuro beneficiosos que contienen.

VALOR NUTRITIVO DE 150 g DE CEBOLLA

Kcal	63
Grasas totales	Inapreciables
Proteínas	1,4 g
Carbohidratos	15 g
Fibra	2,1 g
Vitamina C	9,6 mg
Folatos	29 mcg
Niacina	1,5 mg
Calcio	33 mg
Potasio	216 mg
Magnesio	28 mg
Selenio	0,8 mcg
Cromo	24 mcg

Sopa de cebolla roja asada con picatostes de maicena

4 PERSONAS (v) (D)

800 g de cebollas rojas en cuartos
1 cucharada de aceite de oliva
1 cucharada de margarina
1 taza de vino blanco seco
1¼ l de caldo de verduras
1 ramita de romero fresco, y un
  poco más para decorar
1 cucharadita de tomillo fresco
  picado
1 cucharadita de mostaza de Dijon
sal y pimienta

Picatostes (croutons)

315 ml de agua
60 g de maicena instantánea
½ cucharadita de sal
1 cucharada de romero fresco
  picado
aceite de oliva, para untar

Preparación

1 Precaliente el horno a 200 °C. Ponga el aceite y las cebollas en una fuente de horno y remuévalas bien para que se impregnen. Añada unas nueces de margarina por encima, salpimiéntelas y hornéelas durante 45 minutos, dándoles vueltas de vez en cuando, hasta que estén muy tiernas y ligeramente chamuscadas por los bordes. Retírelas del horno y déjelas enfriar ligeramente.

2 Deseche la capa exterior de los cuartos de cebolla, si están crujientes, y corte el resto en rodajas gruesas. Eche las cebollas a una cacerola de fondo grueso, junto con el vino, y llévelas a ebullición. Cuézalas hasta que gran parte del vino se haya evaporado y el olor a alcohol haya desaparecido.

3 Incorpore el caldo y las hierbas, y cuézalo todo a fuego entre medio y lento unos 30 o 35 minutos, hasta que el jugo se reduzca y se espese. Añada la mostaza, remueva y salpimiente al gusto.

4 Entre tanto, para elaborar los picatostes de maicena, lleve el agua a ebullición en un cazo. Agregue la maicena poco a poco y cuézala, removiendo constantemente con una cuchara de madera, durante 5 minutos o hasta que espese y empiece a desprenderse de las paredes del cazo. Incorpore la sal y el romero y remueva.

5 Forre una tabla de cortar con una lámina de film transparente y, con una espátula, extienda la maicena por encima, en una capa homogénea de 1 cm de grosor. Déjela enfriar y solidificarse. Córtela en dados, úntela con aceite y dispóngala en una bandeja de horno. Ase los picatostes en el horno precalentado, girándolos de vez en cuando, de 10 a 15 minutos, hasta que estén crujientes y dorados.

6 Retire la sopa del fuego y deseche el romero. Transfiera la mitad a un robot de cocina y tritúrela bien; devuélvala a la cacerola y remueva bien. Con un cucharón, reparta la sopa en boles calientes y sírvala coronada con los picatostes y ramitas de romero.

41

BROTES

Los brotes son una fuente de varios nutrientes, como vitamina C, proteínas, calcio y folatos, muy baja en calorías.

VALOR NUTRITIVO DE 100 g DE BROTES DE SOJA CRUDOS

Kcal	30
Grasas totales	Inapreciables
Proteínas	3 g
Carbohidratos	6 g
Fibra	1.8 g
Vitamina C	13 mg
Folatos	61 mcg
Magnesio	21 mg
Potasio	149 mg
Hierro	0,9 mg
Calcio	13 mg

Si bien muchas judías echan brotes, la mayoría de los brotes comercializados son los de las judías mung. También los hay de alfalfa, azuki, lentejas y guisantes. Los brotes son una fuente de nutrientes muy baja en calorías, ideales para personas a dieta. Las judías secas no contienen vitamina C, pero si las pones a remojo brotan y aportan altos niveles de esta vitamina. Los brotes son también una excelente fuente de proteínas y calcio, además de folato, una vitamina importante para disfrutar de una sangre sana y esencial para la salud del feto durante el embarazo.

- Son bajos en calorías y fuente de proteínas de bajo contenido graso.
- Constituyen una buena fuente de vitamina C.
- Son una muy buena fuente de folatos.
- Son una buena fuente de diversos minerales, como el hierro, el magnesio, el calcio y el potasio.

Consejos prácticos:

La mayoría de las judías echan brotes si se las coloca extendidas formando una capa sobre papel de cocina húmedo en un lugar oscuro durante varios días y se las riega cada día. También puede adquirir unos dispositivos especialmente diseñados para tal fin. Los brotes no tardan en perder su contenido en vitamina C tras brotar, por lo que se recomienda comerlos enseguida. Se usan crudos en ensaladas y rollitos de primavera, salteados, cocidos al vapor o para decorar platos.

Ensalada de brotes

4 PERSONAS (V) (D) (E) (N) (R)

350 g de brotes

1 pepino pequeño

1 pimiento (morrón, pimiento
    morrón) verde despepitado
    y cortado en bastoncillos

1 zanahoria pelada y cortada
    en bastoncillos

2 tomates bien picados

1 tallo de apio cortado en
    bastoncillos

cebollino (ciboulette) fresco,
    para decorar

Aderezo

1 diente de ajo majado

unas gotitas de salsa de guindilla
    (chile)

1 cucharada de salsa de soja
    (soya) clara

1 cucharadita de vinagre de vino

1 cucharada de aceite de sésamo

Preparación

1 Escalde los brotes en agua hirviendo durante 1 minuto. Escúrralos
   bien y aclárelos bajo el agua fría del grifo. Vuelva a escurrirlos.

2 Corte el pepino por la mitad a lo largo. Con una cucharilla, extraiga
   las semillas y deséchelas. Córtelo en bastoncillos y mézclelos con
   los brotes, el pimiento, la zanahoria, los tomates y el apio.

3 Mezcle el ajo, la salsa de guindilla, la salsa de soja, el vinagre y
   el aceite de sésamo en un cuenco. Vierta el aderezo sobre las
   hortalizas y remueva bien. Reparta la ensalada en 4 platos, decórela
   con cebollino y sírvala.

42

PUERRO

Como miembro de la familia de la cebolla, el puerro tiene propiedades similares, incluida la capacidad de reducir el colesterol «malo» en sangre y proteger de cardiopatías.

Los puerros tienen un característico sabor acebollado, algo dulce, pero son más suaves que la mayoría de las cebollas. Sus largos y gruesos tallos blancos están rematados una zona verde oscura, que, pese a ser comestible, suele desecharse por su dureza y su fuerte sabor. Los puerros reducen el colesterol «malo» total en sangre al tiempo que aumentan el «bueno», cosa que ayuda a prevenir las enfermedades del corazón y de las arterias. El consumo habitual de puerros reduce el riesgo de padecer cáncer de próstata, ovarios y colon. Parece ser que es el sulfuro alílico que contienen lo que les aporta sus beneficios. Es una hortaliza rica en vitaminas C y E, fibra, folatos y varios minerales importantes.

- Reduce el colesterol «malo» en sangre y aumenta el «bueno».
- Posee propiedades anticancerígenas.
- Es ligeramente diurético, previene la retención de líquidos.
- Tiene un alto contenido en carotenos, como luteína y zeaxantina, y ayuda a disfrutar de una vista sana.

¿SABÍA QUE...?

En la antigua Grecia, los puerros eran codiciados por sus efectos beneficiosos para la garganta. Son el emblema de Gales (Reino Unido).

VALOR NUTRITIVO DE UN PUERRO DE TAMAÑO MEDIANO

Kcal	61
Grasas totales	0,3 g
Proteínas	1,5 g
Carbohidratos	14 g
Fibra	1,8 g
Vitamina C	12 mg
Vitamina E	0,9 mg
Folatos	64 mcg
Calcio	59 mg
Hierro	2,1 mg
Potasio	180 mg
Magnesio	28 mg
Betacaroteno	1.000 mcg
Zeaxantina/Luteína	1.900 mcg

Consejos prácticos:

Lave bien los puerros antes de elaborarlos, ya que pueden tener restos de tierra entre sus apretadas hojas. Cuanto más verde sea el tallo, más nutrientes beneficiosos tendrá el puerro. Hágalos al vapor, horneados o salteados, mejor que hervidos, para conservar sus vitaminas. Las partes más oscuras tardan más en cocinarse que la blanca, así que, si las trocea, añádalas antes al fuego.

Sopa de puerros y pollo

6-8 PERSONAS (D) (E) (N)

2 cucharadas de aceite de oliva
2 cebollas picadas toscamente
2 zanahorias peladas y picadas
5 puerros, 2 picados toscamente y
   3 cortados en rodajas finas
1 pollo de unos 1,8 kg
2 hojas de laurel
6 ciruelas secas en rodajas
sal y pimienta
perejil fresco, para decorar

Preparación

1 Caliente el aceite en una olla. Eche las cebollas, las zanahorias
y los 2 puerros picados toscamente y rehóguelos de 3 a 4 minutos,
hasta que empiecen a dorarse.

2 Con un paño húmedo, limpie el pollo por dentro y por fuera y retire
toda la piel y la grasa que pueda (la piel de las pechugas se
desprende fácilmente con los dedos, mientras que la de los muslos
hay que soltarla introduciendo un cuchillo afilado entre la piel y la
carne). La grasa se concentra también en la cavidad y la carcasa
del ave.

3 Eche el pollo a la olla con las hortalizas y añada el laurel. Cúbralo
con agua fría y salpiméntelo generosamente. Lleve el agua a
ebullición; cuando rompa el hervor, baje el fuego y cueza la sopa
entre 1 y 1½ horas, espumado la superficie cuando sea preciso
con una espumadera.

4 Saque el pollo del caldo; retire y deseche los restos de piel y luego
deshuéselo. Trocee la carne. Cuele el caldo con un colador para
separar las hortalizas y el laurel; deséchelos, lave la olla y devuelva
a ella el caldo. Obtendrá entre 1,25 y 1,5 litros de caldo. Si dispone
de tiempo, es aconsejable dejar enfriar el caldo para poder eliminar
la grasa; en caso contrario, empape la grasa de la superficie con
trozos de papel de cocina.

5 Lleve de nuevo el caldo a ebullición. Incorpore las rodajas de puerro
y las ciruelas y cuézalas 1 minuto.

6 Devuelva el pollo a la olla y prosiga la cocción hasta que esté bien
caliente. Con un cucharón, disponga la sopa en boles y sírvala
decorada con unas ramitas de perejil.

43 ACHICORIA

Los pigmentos rojos de la achicoria poseen compuestos anticancerígenos que protegen nuestro corazón y previenen la trombosis.

VALOR NUTRITIVO DE 50 g DE ACHICORIA

Kcal	12
Grasas totales	Inapreciables
Proteínas	0,7 g
Carbohidratos	2,2 g
Fibra	0,5 g
Vitamina C	4 mg
Folatos	30 mcg
Potasio	151 mg
Calcio	10 m
Selenio	0,5 mg
Zeaxantina/Luteína	4.416 mcg

Las cabezas prietas de la achicoria poseen un sabor fuerte y ligeramente amargo que puede aportar ese toque especial a una ensalada mixta, además de contraste de color. El gusto astringente despierta el paladar y estimula la secreción de ácido clorhídrico, que facilita la digestión. La achicoria es rica en compuestos fenólicos, como la quercetina, un glucósido que impide que las sustancias precancerígenas provoquen daños en el organismo, y las antocianinas, que protegen del cáncer y de las cardiopatías. El contenido fenólico total de las variedades rojas de achicoria es entre 4 y 5 veces superior al de las variedades verdes. La achicoria aporta vitamina C, potasio y folatos en abundancia.

- Facilita la digestión.
- Contiene niveles elevados de sustancias anticancerígenas.
- Protege de las cardiopatías.
- Es rica en luteína y zeaxantina, para la salud de los ojos.

Consejos prácticos:
Busque achicorias firmes con hojas duras y de color vivo, sin zonas mustias o marrones. Guárdelas en el frigorífico en una bolsa de plástico un máximo de cinco días. Si bien normalmente se sirven crudas en ensalada, las cabezas de achicoria pueden cortarse en cuartos, rociarse con aceite de oliva, zumo de limón y algún aderezo, y asarse ligeramente u hornearse. También pueden saltearse en aceite y aderezarse con vinagre balsámico.

Ensalada de pimiento rojo y achicoria

4 PERSONAS (V) (D) (E) (N) (R)

2 pimientos (morrones, pimientos
    morrones) rojos

1 cogollo (atado) de achicoria
    deshojado

4 remolachas enteras cocidas y
    cortadas en bastoncillos

12 rabanitos en rodajas

4 chalotes (echalotes) bien picados

pan crujiente, para acompañar

Aderezo francés

6 cucharadas de aceite de oliva

1½ cucharadas de vinagre de vino
    tinto

1 cucharadita rasa de azúcar
    extrafino

1 cucharadita rasa de mostaza
    de Dijon

sal y pimienta

Preparación

1 Limpie y despepite los pimientos y córtelos en aros.

2 Disponga las hojas de achicoria en una ensaladera. Agregue el
    pimiento, las remolachas, los rabanitos y los chalotes. Prepare
    el aderezo mezclando todos los ingredientes y rocíelo sobre la
    ensalada. Sírvala con pan.

44

RÚCULA

Esta hoja de color verde intenso y sabor picante contiene carotenos con propiedades anticancerígenas.

La rúcula, del género de las brasicáceas, crece en estado silvestre en gran parte de Europa y es pariente cercana de la mostaza. Se trata de una planta pequeña, con hojas alargadas y dentadas. La mayor parte de la rúcula comercializada es cultivada, pero las hojas de la rúcula silvestre poseen más sustancias protectoras que los híbridos cultivados. Dichas hojas son ricas en carotenos y una gran fuente de luteína y zeaxantina, que refuerzan la salud de los ojos y previenen las cataratas. Los indoles contenidos en la rúcula y otras brasicáceas se han asociado con la prevención del cáncer de colon. Las hojas también aportan folatos en abundancia, especialmente importantes durante el embarazo, porque protegen el feto, y calcio, para disfrutar de unos huesos y un corazón sanos.

- Contiene carotenos que protegen del cáncer.
- La luteína protege la salud de los ojos, sobre todo en las personas mayores.
- Contiene indoles, que reducen el riesgo de cáncer de colon.
- Es una buena fuente de calcio, para una mayor protección ósea.

¿SABÍA QUE...?
La rúcula crece rápidamente y es ideal para plantarla en macetas y jardineras.

VALOR NUTRITIVO DE 15 G DE RÚCULA

Kcal	4
Grasas totales	Inapreciables
Proteínas	0,4 g
Carbohidratos	0,5 g
Fibra	0,2 g
Vitamina C	2,3 mg
Folatos	15 mcg
Potasio	55 mg
Calcio	24 mcg
Betacaroteno	214 mcg
Zeaxantina/Luteína	533 mcg

Consejos prácticos:
Cuanto más oscuro sea el color de las hojas, más carotenos poseerá la rúcula. Se usa en ensaladas o para decorar otros platos y mezclada con pasta en lugar de espinacas; también para elaborar pesto o como ingrediente de pizzas. Pierde la frescura rápidamente; conviene usarla uno o dos días después de su compra.

Anchoas con apio y rúcula

4 PERSONAS   (D) (E) (N)

2 tallos de apio

4 puñaditos de rúcula

12-16 filetes de anchoa en
 escabeche cortados por
 la mitad

4 cucharadas de aceite de oliva
 virgen extra

sal y pimienta

cuñas de limón fresco, para
 acompañar

Preparación

1 Corte los tallos de apio en cuartos longitudinales y después en
 bastoncillos de 7,5 cm. Remójelos en un cuenco de agua helada
 durante 30 minutos o hasta que estén crujientes y ligeramente
 rizados; escúrralos y séquelos con papel de cocina.

2 Ponga 4 montoncitos de rúcula en 4 boles poco profundos. Disponga el apio y los filetes de anchoa de forma atractiva por encima.
 Riegue la ensalada con un poco de aceite y salpimiéntela, sin
 olvidar que las anchoas son saladas. Sírvala con el limón.

45

BERRO

Las picantes hojas del berro son ricas en vitamina C y sustancias químicas que protegen del cáncer de pulmón.

Las hojas del berro son una fuente de nutrientes, incluso comidas en pequeñas cantidades, y proporcionan vitaminas C y K, potasio y calcio en cantidades abundantes. Son además una fuente excelente de carotenos y luteína, buenos para la salud ocular. El berro contiene varias sustancias químicas que ayudan a prevenir o minimizar los cánceres, incluido el isotiocianato de feniletilo, que ayuda a bloquear la acción de las células asociadas con el cáncer de pulmón. Se cree que el berro purifica el hígado y limpia la sangre, y que los aceites de benzilo que contiene poseen potentes propiedades antibióticas. Además, reduce la ceguera nocturna y la perfiria, una enfermedad causada por la sensibilidad a la luz solar.

- Ayuda a prevenir el cáncer de pulmón, entre otros.
- Desintoxica y limpia la sangre.
- Mejora la salud ocular y alivia la ceguera nocturna.
- Contiene vitamina K, buena para los huesos y la sangre.

Consejos prácticos:
Al comprar berros, compruebe que no tengan hojas amarillentas o mustias y guárdelos en una bolsa de plástico en el frigorífico o, si adquiere un manojo, póngalo en una taza con agua hasta la mitad de la altura de las hojas. Lave el berro antes de usarlo y sacúdalo bien. Aumente su ingesta de berro añadiéndolo a la sopa de cebolla y patata. El berro va muy bien con los gajos de naranja en ensaladas.

¿SABÍA QUE...?

Es mejor comprar berro producido con fines comerciales que silvestre, puesto que este último crece principalmente en aguas contaminadas y puede ser fuente de bacterias.

VALOR NUTRITIVO DE 25 g DE BERRO

Kcal	3
Grasas totales	Inapreciables
Proteínas	0,6 g
Carbohidratos	0,3 g
Fibra	Inapreciable
Vitamina C	11 mg
Vitamina K	62 mcg
Potasio	83 mg
Calcio	30 mg
Betacaroteno	705 mcg
Zeaxantina/Luteína	1.442 mcg

Ensalada de berro, calabacín y menta

4 PERSONAS (v)(D)(E)(N)

2 calabacines (zapatillo, zucchini)
   cortados en bastoncillos finos
100 g de judías verdes (chauchas,
   ejotes) cortadas en tercios
1 pimiento (morrón, pimiento
   morrón) verde despepitado
   y cortado en tiras
2 tallos de apio cortados en rodajas
un manojo de berro
sal y pimienta

Aderezo

200 g de yogur (yoghurt) natural
1 diente de ajo majado
2 cucharadas de menta fresca
   picada

Preparación

1 Cueza el calabacín y las judías en una cacerola con agua hirviendo
   con un poco de sal entre 7 y 8 minutos. Escúrralos, aclárelos bajo
   el agua fría del grifo y vuelva a escurrirlos. Déjelos enfriar.

2 Mezcle el calabacín y las judías con las tiras de pimiento, el apio y
   el berro en una ensaladera.

3 Para elaborar el aderezo, mezcle el yogur, el ajo y la menta en un
   bol. Sazónelo con pimienta al gusto.

4 Rocíe la ensalada con el aderezo y sírvala inmediatamente.

COL RIZADA

46

Las verdes hojas de la col rizada contienen multitud de nutrientes y sustancias vegetales que combaten el cáncer, además de ser una fuente de minerales y vitamina C.

La col rizada y otras coles de color verde oscuro poseen sustancias químicas vegetales que inhiben el desarrollo de los tumores cancerígenos y parecen ofrecer protección frente a los cánceres de colon, de pulmón y de origen hormonal, como el cáncer de mama, probablemente porque aumentan el metabolismo de los estrógenos. La col es una fuente importante de vitaminas C, K y diversos tipos de B, folatos, fibra, minerales, hierro y betacarotenos. Su jugo se usa como remedio tradicional para las úlceras pépticas y sus índoles reducen el colesterol «malo».

- Posee un alto contenido en nutrientes, vitamina C y calcio.
- Tiene efectos anticancerígenos y antiinflamatorios demostrados.
- Ayuda a reducir el colesterol «malo» y previene las cardiopatías.
- Se usa en el tratamiento de úlceras pépticas.

Consejos prácticos:

Guarde la col rizada en una bolsa de plástico en el frigorífico para conservar su vitamina C y su frescura. Para retener la mayor parte de sus nutrientes, cocínela muy poco, cociéndola al vapor o salteándola durante unos pocos minutos. Para evitar que desprenda el característico olor fétido de las coles, no se exceda en la cocción; también ayuda cocer la col con un poquito de vinagre.

¿SABÍA QUE...?

Esta col de hojas rizadas se cultivaba en un origen en los Alpes, en la frontera entre Italia y Francia; de ahí que se la conozca también como col de Saboya y col de Milán.

VALOR NUTRITIVO DE 100 g DE COL RIZADA

Kcal	27
Grasas totales	Inapreciables
Proteínas	2 g
Carbohidratos	6 g
Fibra	3 g
Vitamina C	31 mg
Folatos	3 mcg
Potasio	230 mg
Magnesio	28 mg
Calcio	35 mg
Selenio	0,9 mcg
Betacaroteno	600 mcg

Guiso primaveral

4 PERSONAS (V)(D)(E)(N)

2 cucharadas de aceite de oliva

4-8 cebollas perla (cebollas mini)
    cortadas por la mitad

2 tallos de apio cortados en rodajas

225 g de zanahorias mini raspadas
    y cortadas por la mitad si son
    grandes

300 g de patatas (papas) nuevas
    peladas y cortadas por la mitad
    o en cuartos si son grandes

1¼ l de caldo de verduras

400 g de alubias blancas (frijoles
    blancos, porotos blancos) en
    conserva escurridas y aclaradas

1½-2 cucharadas de salsa de soja
    (soya) clara

85 g de mazorquitas de maíz

200 g de habas tiernas

½-1 col rizada (repollo rizado)

1½ cucharadas de maicena

2 cucharadas de agua fría

sal y pimienta

150-200 g de queso parmesano
    recién rallado o de queso
    cheddar seco, para acompañar

Preparación

1 Caliente el aceite en una olla de
   fondo grueso con tapa. Añada
   las cebollas, el apio, las
   zanahorias y las patatas,
   y rehóguelas 5 minutos,
   removiendo, hasta que estén
   tiernas. Incorpore el caldo,
   las alubias y la salsa de soja,
   y llévelo a ebullición. Baje el
   fuego, tape la olla y déjelo cocer
   a fuego lento 12 minutos.

2 Agregue el maíz y las habas, y
   salpimiente al gusto. Prosiga
   la cocción otros 3 minutos.

3 Mientras, deseche las hojas
   externas y el corazón duro
   de la col y corte las hojas en
   juliana; incorpórela a la olla y
   prosiga la cocción de 3 a
   5 minutos o hasta que las
   hortalizas estén tiernas.

4 En un cuenco, mezcle la
   maicena y el agua; incorpore
   la mezcla a la olla y siga
   cociendo 4 o 6 minutos más,
   removiendo, hasta que el
   líquido se espese. Sirva el
   guiso acompañado de queso.

47

ENDIVIA

Los cogollos de endivia son potentes anti-inflamatorios y minimizan los síntomas de la artritis. Su contenido en fibra es un prebiótico que facilita la digestión.

Los blancos cogollos de endivia, con su peculiar sabor amargo, constituyen un ingrediente de ensalada ideal. La endivia se blanquea durante su crecimiento para protegerse del sol; de otro modo, sería demasiado amarga. Ese amargor es precisamente lo que se asocia con sus compuestos beneficiosos, la cumarina y la lactucina. Las sustancias antiinflamatorias que contiene alivian enfermedades como la gota y la artritis y tienen efecto sedante. La endivia contiene un tipo especial de fibra, la inulina, que actúa como prebiótico en el sistema digestivo, estimulando las bacterias «buenas» esenciales para la salud del intestino. Ayuda a regular los niveles de azúcar en sangre, refuerza el sistema inmunitario, aumenta el colesterol «bueno» y reduce el «malo».

• Prebiótico para un intestino saludable.
• Regula los niveles de azúcar en sangre.
• Mejora el perfil del colesterol en sangre.
• Es levemente sedante y antiinflamatoria.
• Tiene un suave efecto laxante.

¿SABÍA QUE…?

La raíz de esta planta es larga y gruesa, como la raíz primaria del diente de león. Seca, tostada y molida constituye un excelente sustituto del café.

Consejos prácticos:

La endivia cruda es perfecta para ensaladas con naranja o pera, y también está buena estofada. Los cogollos son sensibles a la luz: guárdelos en una bolsa de papel marrón en el frigorífico. Pinte las hojas con zumo de limón o vinagre para evitar que se decoloren.

VALOR NUTRITIVO DE 50 g DE ENDIVIA

Kcal	9
Grasas totales	Inapreciables
Proteínas	0,5 g
Carbohidratos	2 g
Fibra	1,6 g
Folatos	19 mcg
Calcio	10 mg
Potasio	106 mg

Ensalada de endivias y peras

4 PERSONAS (V) (D) (N) (R)

200 g de nueces troceadas
2 cucharadas de jarabe de arce (miel)
2 peras grandes
el zumo (jugo) de ½ limón
2 cogollos (atados) de endivia
85 g de queso azul

Vinagreta

4 cucharadas de aceite de oliva
1 cucharada de vinagre de vino blanco
½ cucharadita de azúcar extrafino
  (azúcar impalpable)
½ cucharadita de mostaza de Dijon
sal y pimienta

Preparación

1 Precaliente el grill a fuego medio-vivo. Eche las nueces en un bol y añada el jarabe. Remueva bien hasta empapar las nueces y luego dispóngalas formando una capa en una parrilla forrada con papel de aluminio; conserve los restos de jarabe en el bol. Ase las nueces unos 2 minutos o hasta que estén calientes y el jarabe burbujee. Retírelas del fuego y déjelas enfriar.

2 Pele las peras, quíteles el corazón y lamínelas a lo largo. Pinte ambas caras de cada lámina con un poco de zumo de limón para evitar que se oscurezcan.

3 Mezcle todos los ingredientes de la vinagreta en un cuenco.

4 Ponga las hojas de endivia en una ensaladera y rocíelas con 4 cucharadas de vinagreta. Remueva bien con las manos hasta que la endivia se empape. Si es preciso, añada un poco más de vinagreta. Incorpore las peras y vuelva a remover con delicadeza.

5 Reparta la ensalada entre 4 platos y desmenuce el queso por encima. Para acabar, esparza las nueces caramelizadas frías sobre la ensalada y sírvala.

48

CALABAZA

Con su carne naranja, la calabaza protege del cáncer de pulmón y es especialmente rica en vitaminas C y E.

Las calabazas están relacionadas con el pepino y el melón, y tienen un ligero sabor a nuez ideal tanto en recetas dulces como saladas. Las variedades de carne naranja, como la calabaza moscada, contienen los niveles más elevados de nutrientes beneficiosos. La calabaza moscada es una de las fuentes más ricas de betacriptoxantina, un caroteno asociado a la protección del cáncer de pulmón. Otros carotenos presentes en estas calabazas reducen el riesgo de padecer cáncer de colon y problemas de próstata; además, alivian la inflamación provocada por el asma y la artritis. La calabaza también es una fuente excelente de vitaminas y minerales, incluidas la vitaminas antioxidantes C y E, el calcio, el hierro y el magnesio.

- Contiene sustancias que protegen del cáncer de pulmón y de colon.
- Es antiinflamatoria.
- Es rica en varias vitaminas y minerales.
- Posee un alto contenido en fibra y es fuente de carbohidratos complejos.

¿SABÍA QUE...?

No deseche las nutritivas pepitas de la calabaza de invierno: horneadas a fuego bajo, se comen igual que las pipas de la calabaza común.

VALOR NUTRITIVO DE UN CUARTO DE CALABAZA PEQUEÑA

Kcal	68
Grasas totales	Inapreciables
Proteínas	1,5 g
Carbohidratos	17,5 g
Fibra	3 g
Vitamina C	31 mg
Vitamina B3	1,8 mg
Folatos	41 mcg
Vitamina E	2,2 mg
Potasio	528 mg
Calcio	72 mg
Hierro	1 mg
Magnesio	51 mg
Betacaroteno	6.339 mcg
Betacriptoxantina	5.207 mcg

Consejos prácticos:

Todas las calabazas de invierno pueden conservarse hasta seis meses en un lugar frío, seco, oscuro y ventilado. Para prepararlas, córtelas por la mitad con un cuchillo afilado y extraiga las pepitas. Las calabazas pueden rellenarse y hornearse, o pelarse, cortarse en rodajas, asarse y usarse en lugar de patatas. La sopa de calabaza asada es muy sabrosa. Comer la calabaza con un poco de aceite ayuda a absorber sus carotenos.

Sopa de calabaza, boniato y ajo

6-8 PERSONAS Ⓓ Ⓔ Ⓝ

1 calabaza bonetera o moscada

1 boniato (batata, camote) de unos
   350 g

4 chalotes (echalotes)

2 cucharadas de aceite de oliva

5-6 dientes de ajo sin pelar

875 ml de caldo de pollo

85 ml de nata (crema) agria

pimienta

cebollino (ciboulette) fresco,
   para decorar

Preparación

1 Precaliente el horno a 190 °C.
   Corte la calabaza, el boniato y
   los chalotes por la mitad a lo
   largo, hasta el tallo. Despepite
   la calabaza. Unte las caras
   cortadas con aceite.

2 Ponga las hortalizas, con la
   cara cortada hacia arriba, en
   una bandeja de asar y añada
   los dientes de ajo. Áselas
   durante 40 minutos, hasta que
   estén tiernas y ligeramente
   doradas. Déjelas enfriar.

3 Una vez frías, extraiga la pulpa
   del boniato y la calabaza con
   una cuchara, y póngala en una
   olla con los chalotes. Pele los
   ajos y agregue la carne tierna
   del resto de las hortalizas.

4 Incorpore el caldo. Llévelo a
   ebullición. Cuando rompa el
   hervor, baje el fuego y cueza
   la sopa a fuego lento,
   semitapada, unos 30 minutos,
   removiendo de vez en cuando,
   hasta que las hortalizas
   queden muy tiernas.

5 Deje enfriar la sopa ligeramente y luego transfiérala a un
   robot de cocina o licuadora
   y bátala hasta obtener una
   textura homogénea; si es
   necesario, bátala por tandas.
   (Si usa un robot de cocina,
   cuele el caldo y resérvelo.
   Triture los ingredientes sólidos
   de la sopa con la cantidad
   necesaria de jugo de cocción
   para humedecerlos y luego
   combínelos con el resto
   del caldo.)

6 Lave la olla y vuelva a
   incorporar la sopa. Salpimiéntela al gusto y déjela hervir de
   5 a 10 minutos, hasta que
   esté bien caliente por dentro.
   Viértala con un cucharón en
   boles y decórela por encima
   con una espiral de nata agria.
   Decórela con unas motas
   adicionales de pimienta
   y con el cebollino y sírvala.

49

LECHUGA

Ligeramente sedante, la lechuga provoca el sueño. Es además un alimento versátil, bajo en calorías y con un alto contenido en fibra, ideal para personas a dieta.

Existen docenas de tipos de lechuga, que pueden adquirirse ya formadas o en semillas, si bien, a la hora de decantarse por una u otra, conviene recordar que son más saludables las variedades de color verde entre medio y oscuro o rojizas, ya que contienen más carotenos y vitamina C que las lechugas más blanquecinas. La lechuga romana, por ejemplo, contiene cinco veces más vitamina C y betacaroteno que la iceberg. Las lechugas de color más intenso también aportan buenas cantidades de folatos, potasio y hierro. La lechuga tiene un elevado contenido en fibra, es baja en calorías y presenta un índice glucémico bajo.

- Es un alimento nutritivo y bajo en calorías, para personas a dieta.
- Posee un alto contenido en vitamina C antioxidante y carotenos, para prevenir enfermedades.
- Es ligeramente sedante.
- Posee un alto contenido en folatos, para unas arterias y un corazón sanos.

Consejos prácticos:

Lave bien las lechugas de cultivo no orgánico y séquelas con un paño de cocina o una centrifugadora para ensalada, puesto que a veces contienen restos de pesticidas y bacterias. Si una lechuga es demasiado para una comida, use las hojas de fuera, en lugar de cortarla por la mitad, ya que la cara cortada se oxidará. Para absorber mejor los carotenos, aderece la lechuga con aceite, pero añádalo justo antes de servirla para que las hojas no se mustien.

¿SABÍA QUE...?

Aunque en la mayoría de los países la lechuga se come cruda, en Francia se cocina con guisantes. En China suele usarse en salteados y otras recetas cocinadas.

VALOR NUTRITIVO DE 80 G DE LECHUGA

Kcal	14
Grasas totales	0,2
Proteínas	1 g
Carbohidratos	2,6 g
Fibra	1,7 g
Vitamina C	19 mg
Folatos	109 mcg
Potasio	198 mg
Calcio	26 mg
Hierro	0,8 mg
Betacaroteno	2.787 mcg
Zeaxantina/Luteína	1.850 mcg

Ensalada de judías verdes y lechuga

4-6 PERSONAS   Ⓓ Ⓔ Ⓝ Ⓡ

450 g de judías verdes (chauchas,
   ejotes) limpias
85 ml de mayonesa light
85 g de yogur (yoghurt) natural
   desnatado (descremado)
½ cucharada de zumo (jugo) de
   limón, o al gusto
½ cucharadita de pasta de curry
   Korma, o al gusto
½ cucharadita de cúrcuma molida
2 cogollos de lechuga deshojados
3 pechugas de pollo hervidas,
   peladas y cortadas en lonchas
   diagonales
sal y pimienta

Vinagreta de hierbas

5 cucharadas de aceite de oliva
4 cucharaditas de vinagre de vino
   blanco
1 cucharadita colmada de azúcar
   extrafino (azúcar impalpable)
1 cucharadita rasa de mostaza de
   Dijon
1 cucharada colmada de mezcla
   de menta, perejil y estragón
   frescos picados
sal y pimienta

Preparación

1 Cueza las judías en una olla con agua hirviendo ligeramente salada
   durante 5 minutos o hasta que estén tiernas. Escúrralas y sumérjalas inmediatamente en una fuente de agua congelada para
   interrumpir la cocción. Déjelas enfriar por completo.

2 Entre tanto, mezcle los ingredientes de la vinagreta en un bol. Cuando las judías estén frías, escúrralas bien y séquelas suavemente
   con papel de cocina, luego empápelas en la vinagreta y resérvelas.

3 Para elaborar el aderezo al curry, mezcle la mayonesa y el yogur en
   un cuenco hasta obtener una masa homogénea. Añada el zumo de
   limón, la pasta de curry y la cúrcuma y remueva bien. Pruébelo y
   rectifique de zumo y pasta de curry si lo desea. Salpiméntelo al
   gusto. Tápelo y refrigérelo en el frigorífico.

4 A la hora de servir, disponga un lecho de hojas de lechuga en una
   ensaladera o en platos individuales, coloque las judías aderezadas
   en el centro, rodéelas con las lonchas de pollo, solapándolas un
   tanto, rocíe el pollo con el aderezo al curry y sirva la ensalada.

3

POLLO, PESCADO Y MARISCO

El pollo, el pescado y el marisco, con sus numerosos ácidos grasos omega-3, minerales y proteínas, se encuentran entre los elementos más importantes de una dieta sana. Preparados de manera sencilla, asados con condimentos suaves, el pollo y el pescado pueden coronar cualquier ensalada o servirse como plato único.

(V) Adecuado para vegetarianos
(D) Ideal para personas a dieta
(E) Adecuado para embarazadas
(N) Adecuado para niños mayores de 5 años
(R) Rápido de preparar y cocinar

50

POLLO

La abuela tenía razón. Los científicos han confirmado que la sopa de pollo refuerza el sistema inmunitario y ayuda a combatir los resfriados y la gripe.

Los científicos creen que la sopa de pollo alivia los síntomas de los resfriados y la gripe, ya que estimula la producción de las células que luchan contra las infecciones. Una porción de pollo magro contiene casi la mitad de las proteínas diarias recomendadas para una mujer adulta, la cantidad diaria recomendada de niacina (vitamina B3) y gran parte de la cantidad recomendada de minerales como hierro, zinc (antioxidante) y potasio. El pollo es rico en selenio, uno de los minerales que suelen faltar en nuestra dieta y que tiene unos notables efectos anticancerígenos. Los estudios también demuestran que el pollo orgánico contiene niveles más altos de ácidos grasos omega-3, vitamina E y otros nutrientes que el no orgánico.

- Refuerza el sistema inmunitario y protege contra el cáncer.
- Aporta niacina, que ayuda a luchar contra el *alzheimer*.
- Su contenido en vitamina B ayuda a liberar la energía de los alimentos en el organismo.
- Su contenido en vitamina B6 ayuda a proteger las arterias contra daños provocados por la homocisteína, que es un factor de riesgo para sufrir cardiopatías.

¿SABÍA QUE...?

La grasa del pollo está en la piel. Para que sea un alimento bajo en grasas, debe quitar toda la piel antes de cocinarlo.

VALOR NUTRITIVO DE 150 G DE POLLO SIN PIEL

Kcal	166
Grasas totales	4 g
Proteínas	30,5 g
Niacina	11,8 g
Vitamina B5	1,5 g
Vitamina B6	0,6 mg
Vitamina B12	0,5 mcg
Potasio	356 mg
Selenio	25 mcg
Magnesio	34 mg
Calcio	15 mg
Hierro	1,5 mg
Zinc	1,8 mg

Consejos prácticos:

Conserve el pollo fresco cubierto en el frigorífico durante no más de tres días; si permanece más tiempo, aumentará la presencia de bacterias. Lávelo bien antes de cocinarlo.

Laksa de pollo

4 PERSONAS   (D) (E) (N) (R)

1 l de leche de coco envasada baja
   en grasas

1 l de caldo de pollo

2-3 cucharadas de pasta de laksa
   (pasta de curry laksa)

6 pechugas de pollo deshuesadas
   y sin piel de unos 175 g cada
   una, cortadas en tiras

250 g de tomates cherry cortados
   por la mitad

250 g de tirabeques, cortados por
   la mitad en diagonal

200 g de fideos de arroz secos

1 ramita de cilantro fresco troceada

Preparación

1   Vierta en una cazuela la leche de coco y el caldo, e incorpore la
    pasta de laksa. Agregue el pollo y deje cocer entre 10 y 15 minutos
    a fuego lento o hasta que el pollo esté bien hecho.

2   Añada los tomates, los tirabeques y los fideos. Deje cocer otros
    2 ó 3 minutos. Incorpore el cilantro y sírvalo inmediatamente.

51

ATÚN

El atún fresco es una fuente importante de ácidos grasos omega-3 y minerales antioxidantes que ayudan a mantener sanas las arterias y el corazón.

La carne dura, densa, sustanciosa y sabrosa del atún fresco o congelado gusta incluso a las personas poco aficionadas al pescado y es rápida de preparar. Es una fuente excelente de proteínas y es especialmente rica en vitaminas B, selenio y magnesio. Una pequeña ración aporta en torno a un 20 % de las necesidades diarias de vitamina E. Aunque la mayoría de los tipos de atún contienen menos ácidos grasos omega-3 esenciales que otros tipos de pescado azul, contienen muchas grasas EPA y DHA. Los ácidos grasos DHA son especialmente efectivos para mantener sanos el corazón y el cerebro. Una ración de atún por semana aporta la cantidad semanal recomendada (1,4 g) de estas grasas.

¿SABÍA QUE...?

Se ha demostrado que al envasar el atún (ya sea en aceite, en agua, en salmuera o en salsa) pierde la mayoría de sus ácidos grasos omega-3, así que no puede considerarse como ingesta de pescado azul.

- Es una buena fuente de grasas omega-3, EPA y DHA, que protegen contra diversas enfermedades.
- Posee un alto contenido en proteínas.
- Es rico en selenio y magnesio, para mantener sano el corazón.
- Es muy rico en vitamina B12, que mejora la circulación.

Consejos prácticos:

El pescado fresco no debe oler y conviene cocinarlo y comerlo el día de la compra. Para que el atún no pierda sus beneficiosos ácidos grasos omega-3, dórelo ligeramente en la sartén por ambos lados y cocínelo el menor tiempo posible. También puede cortarlo en filetes y sofreírlo 1 minuto con verduras (a diferencia de otros pescados, los filetes de atún no se deshacen).

VALOR NUTRITIVO DE 100 G DE ATÚN

Kcal	144
Grasas totales	4,9 g
Proteínas	23 g
EPA	0,4 g
DHA	1,2 g
Niacina	8,3 mg
Vitamina B5	1 mg
Vitamina B6	0,5 mg
Vitamina B12	9,4 mg
Vitamina E	1 mg
Potasio	252 mg
Selenio	36 mcg
Magnesio	50 mg
Hierro	1 mg
Zinc	0,6 mg

Atún con alubias blancas y alcachofas

6 PERSONAS   Ⓓ Ⓝ

75 ml de aceite de oliva virgen
  extra

el zumo (jugo) de 1 limón

½ cucharadita de copos de
  guindilla (chile) seca

¼ cucharadita de pimienta negra
  molida

4 filetes finos de atún fresco de
  unos 450 g

800 g de alubias blancas (frijoles
  blancos, porotos blancos)
  envasadas, lavadas y escurridas

1 chalote (echalote) bien picado

1 diente de ajo majado

2 cucharaditas de romero fresco
  bien picado

2 cucharadas de perejil fresco
  picado

4 alcachofas (alcauciles) en aceite,
  escurridas y cortadas en cuartos

4 tomates maduros en gajos

16 aceitunas negras sin hueso
  (carozo)

sal y pimienta

cuñas de limón, para decorar

Preparación

1 Ponga 4 cucharadas de aceite
en una fuente con 3 cucharadas de zumo limón, los copos
de guindilla y la pimienta negra.
Incorpore los filetes de atún y
déjelos en adobo a temperatura ambiente 1 hora, girándolos
de vez en cuando.

2 Vierta las alubias en un bol
apto para microondas y
caliéntelas a potencia media
2 minutos. Cuando estén
calientes, mézclelas con
4 cucharadas de aceite e
incorpore los chalotes, el ajo,
las hierbas y el resto del zumo
de limón. Salpimiente con un
poco de sal y abundante
pimienta. Deje reposar por lo
menos 30 minutos.

3 Unte una plancha o sartén
antiadherente con un poco
de aceite y póngala al fuego
hasta que esté muy caliente.
Quite los excesos de adobo
que pueda tener el atún,
póngalo en la sartén y hágalo
1 o 2 minutos por cada lado

a fuego muy vivo. Retire los
filetes y colóquelos en una
bandeja, baje el fuego,
incorpore el adobo y déjelo
cocer 1 o 2 minutos.

4 Ponga las alubias en una
bandeja. Añada las alcachofas,
los tomates, las aceitunas
y el adobo que quede en la
sartén. Desmenuce el atún y
dispóngalo encima. Decore
con cuñas de limón y sírvalo.

52 SARDINAS

Las sardinas son una de las mejores fuentes de ácidos grasos omega-3 y pueden protegernos contra las cardiopatías y el *alzheimer*.

Las sardinas suelen comerse enlatadas, forma en la que conservan la mayoría de los nutrientes, pero las frescas resultan más sanas. Son uno de los pescados más ricos en grasas omega-3, DHA y EPA. Estos ácidos grasos ayudan a prevenir o controlar diversas dolencias, como la artritis, las enfermedades cardiovasculares y el *alzheimer*, y una cantidad adecuada ayuda a superar la depresión y potencia las capacidades cognitivas. Las sardinas son uno de los pocos alimentos ricos en vitamina D, que ayuda a formar y proteger los huesos a lo largo de toda la vida. También contienen otras vitaminas y minerales, y una ración aporta casi un tercio de las necesidades diarias de un adulto de hierro y vitamina E, y toda la cantidad diaria de vitamina B12 y selenio necesaria.

• Es una fuente excelente de ácidos grasos omega-3.
• Es un alimento ideal para mejorar la capacidad cognitiva y la salud del cerebro a largo plazo.
• Ayuda a reducir el colesterol «malo» y la hipertensión.
• Su consumo regular puede reducir hasta en un 50 % el riesgo de sufrir una apoplejía.

Consejos prácticos:
Puede limpiar las sardinas frescas, asarlas y servirlas aliñadas con limón y pan, o bien con tomates asados, sobre tostadas integrales. También puede fileteárlas si no quiere lidiar con las espinas, aunque éstas son comestibles y constituyen una gran fuente de calcio.

¿SABÍA QUE...?

Las sardinas aportan más proteínas que un filete de carne, más potasio que los plátanos y más hierro que las espinacas cocidas.

VALOR NUTRITIVO DE 135 G DE SARDINAS (3 APROX.)

Kcal	280
Grasas totales	16 g
Proteínas	33 g
EPA	1,147 g
DHA	1,550 g
Niacina	7 mg
Vitamina B12	15 mcg
Vitamina	27,7 mg
Vitamina E	2,7 mg
Potasio	536 mg
Selenio	71 mcg
Magnesio	53 mg
Hierro	3,9 mg
Zinc	1,8 m

Sardinas rellenas

6 PERSONAS (D) (E) (N)

15 g de perejil fresco picado

4 dientes de ajo bien picados

12 sardinas frescas, limpias y sin
  escamas

1 cucharadita de zumo (jugo) de
  limón

200 g de harina

1 cucharadita de comino molido

aceite de oliva, para untar

sal y pimienta

Preparación

1 Mezcle el perejil y el ajo en
   un bol. Lave las sardinas por
   dentro y por fuera y séquelas
   con papel de cocina.
   Introduzca la mezcla de ajo
   y perejil en las cavidades de
   las sardinas y espolvoréela
   también por fuera. Aderece las
   sardinas con zumo de limón y
   póngalas en una fuente
   grande, llana y no metálica.
   Cubra la fuente con film
   transparente y déjela reposar
   1 hora en el frigorífico.

2 Precaliente el grill del horno.
   Mezcle en un bol la harina y el
   comino molido, y salpimiente
   al gusto. Extienda la harina
   salpimentada en un plato
   llano y reboce ligeramente
   las sardinas.

3 Unte las sardinas con aceite y
   deje que se hagan en el horno
   a potencia media durante
   3 o 4 minutos por cada lado.
   Sirva inmediatamente.

53

CABALLA

La caballa, que es relativamente barata, constituye una excelente fuente de ácidos grasos omega-3 y es rica en minerales y vitamina E.

La caballa es una buena opción para cubrir las raciones semanales de pescado azul recomendadas (1 o 2). También es uno de los pescados más ricos en EPA y DHA, las dos grasas omega-3 especiales que se encuentran en cantidades considerables únicamente en el pescado azul y en el hígado de los peces. Diversas pruebas muestran que un consumo regular de grasas procedentes del pescado aporta importantes, e incluso vitales, beneficios para la salud y nos protege contra las cardiopatías y las apoplejías, ya que reduce la inflamación y la presión sanguínea, y mejora los niveles de colesterol y grasas en sangre.

- Es un antiinflamatorio que alivia los síntomas de la enfermedad de Crohn, el dolor de articulaciones y la artritis.
- Ayuda a prevenir las cardiopatías y las apoplejías.
- Es rico en selenio, magnesio, hierro y potasio, así como en vitaminas D y E.

Consejos prácticos:
Elija las caballas de carne firme y cuerpo y ojos brillantes. El pescado azul se estropea más rápido que el blanco, y la caballa debe comerse como mucho 24 horas después de comprarla. Puede hacerse al horno, asada, a la barbacoa o frita, y, dado que es rica en sabor, conviene acompañarla con sabores fuertes o picantes, como con salsa de ruibarbo, mostaza o rábano picante.

¿SABÍA QUE...?

Los romanos utilizaban caballa para hacer garum, una salsa de pescado similar a la usada en la cocina tailandesa.

VALOR NUTRITIVO DE 100 G DE CABALLA

Kcal	207
Grasas totales	14 g
EPA	0,71 g
DHA	1,1 g
Niacina	9,1 mg
Vitamina B6	0,4 mg
Vitamina B12	8,8 mcg
Vitamina	363 mcg
Vitamina E	1,5 mg
Potasio	317 mg
Selenio	44,5 mcg
Magnesio	77 mg
Hierro	1,6 mg
Zinc	0,6 mg

Caballa asada

4 PERSONAS (D) (N) (R)

4 caballas
2 cucharadas de aceite de oliva
2 cucharadas de zumo (jugo)
 de limón

cuñas de limón y judías verdes
 (chauchas, ejotes), para
 acompañar

Preparación

1 Limpie el pescado y retire las cabezas. Haga incisiones diagonales en ambos lados. Aliñe el pescado con el aceite, el zumo de limón, la sal y la pimienta, introduciendo bien la sal y la pimienta en los cortes.

2 Precaliente el grill del horno. Ponga el pescado en el grill durante 5 o 6 minutos por cada lado.

3 Ponga las cuatro caballas en sendos platos calientes y sírvalas con una guarnición de judías verdes hervidas y cuñas de limón.

54

SALMÓN

El salmón es fuente de ácidos grasos omega-3, selenio (que ayuda a combatir el cáncer) y vitamina B12 (que protege contra cardiopatías y un tipo de anemia).

La mayor parte del salmón que comemos actualmente procede de piscifactorías. Aunque el salmón salvaje suele contener menos grasas y más cantidad de algunos nutrientes, ambos tipos son similares en líneas generales. El salmón es la fuente principal de aceite de pescado, que ayuda a combatir las cardiopatías, la trombosis, las apoplejías, la hipertensión, el colesterol elevado, el *alzheimer*, la depresión y diversas afecciones cutáneas. El salmón también es una fuente excelente de selenio (que protege contra el cáncer), proteínas, niacina, vitamina B12, magnesio y vitamina B6.

- Protege contra cardiopatías y apoplejías.
- Ayuda a mantener la salud del cerebro.
- Puede favorecer la concentración y la capacidad mental de los niños, y protege contra el asma infantil.
- Mantiene la piel suave, minimiza las quemaduras solares, ayuda a combatir el eccema y previene la sequedad ocular.
- Mitiga el dolor de articulaciones y protege contra el cáncer.

Consejos prácticos:
Para que el contenido en omega-3 sea óptimo, haga poco el salmón y escálfelo o áselo en lugar de freírlo. Una cocción excesiva puede oxidar las grasas esenciales, de manera que dejan de ser beneficiosas. El salmón congelado conserva las grasas beneficiosas, las vitaminas y los minerales, mientras que el salmón enlatado pierde parte de estos nutrientes.

¿SABÍA QUE...?

Se ha comprobado que el salmón de piscifactoría contiene hasta el doble de grasas que el salvaje.

VALOR NUTRITIVO DE 100 G DE SALMÓN

Kcal	183
Grasas totales	10,8 g
Proteínas	19,9 g
EPA	0,618 g
DHA	1,293 g
Niacina	7,5 mg
Vitamina B6	0,64 mcg
Vitamina B12	2,8 mcg
Folato	26 mcg
Vitamina E	1,9 mg
Vitamina C	3,9 mg
Potasio	362 mg
Selenio	36,5 mcg
Magnesio	28 mg
Zinc	0,4 mg

Salmón y vieiras con cilantro

6-8 PERSONAS   (D) (R)

6 cucharadas de aceite de
    cacahuete (aceite de maní)

280 g de salmón en filetes, sin piel
    y cortado en trozos de 2,5 cm

225 g de vieiras frescas sin valvas

3 zanahorias en rodajas finas

2 tallos de apio en trozos de
    2,5 cm

2 pimientos (morrones, pimientos
    morrones) amarillos en rodajas
    finas

175 g de gírgolas en láminas finas

1 diente de ajo majado

6 cucharadas de cilantro fresco
    picado

3 chalotes (echalotes) en rodajas
    finas

el zumo (jugo) de 2 limas

1 cucharadita de ralladura de lima

1 cucharadita de copos de guindilla
    (chile) seca

3 cucharadas de jerez seco

3 cucharadas de salsa de soja
    (soya)

fideos o tallarines cocidos, para
    acompañar

Preparación

1 Caliente el aceite en un *wok* o en una sartén grande. Incorpore el
salmón y las vieiras y rehóguelos a fuego medio 3 minutos. Retírelos
de la sartén y manténgalos calientes.

2 Eche en la sartén las zanahorias, el apio, los pimientos, las gírgolas
y el ajo, y rehóguelos 3 minutos. Incorpore el cilantro y los chalotes.

3 Agregue el zumo y la ralladura de lima, los copos de guindilla seca,
el jerez y la salsa de soja. Introduzca de nuevo el salmón y las vieiras
en la sartén y rehóguelo todo con cuidado 1 minuto más. Póngalo en
platos calientes y sírvalo sobre un lecho de fideos o tallarines cocidos.

55 ALMEJAS

Las almejas, con su contenido bajo en grasas y alto en proteínas, son ideales para personas a dieta, y son ricas en calcio, que preserva la salud de los huesos y el corazón.

Hay varios tipos de almejas, que se distinguen por su tamaño y forma. Todas las almejas comestibles son muy nutritivas, tienen pocas grasas y gran cantidad de minerales y vitaminas B. Las almejas tienen un contenido especialmente alto en hierro y sólo 100 g de almejas sin valvas aportan la cantidad diaria necesaria. El hierro transporta el oxígeno de los pulmones a todas las partes del cuerpo y es vital para el sistema inmunitario, ya que incrementa la resistencia a las infecciones y agiliza el proceso de curación. Para las mujeres propensas a padecer anemia a causa de la pérdida de hierro durante la menstruación, el consumo de almejas es una buena forma de aumentar los niveles de hierro en sangre.

• Su alto contenido en hierro ayuda a mantener la sangre sana.
• Aporta grandes cantidades de calcio para fortalecer los huesos.
• Tiene un alto contenido en selenio, mineral anticancerígeno.
• Es una buena fuente de zinc, que refuerza el sistema inmunitario e incrementa la fertilidad.

Consejos prácticos:
Hay que tener cuidado al extraer las almejas de las valvas. Es preciso sujetar la almeja con un trapo y abrir las valvas con un abreostras o un cuchillo adecuado. Las almejas con valvas pueden cocerse con un poco de líquido, a fuego vivo y tapadas. Deben desecharse las que no se abran tras 3 minutos de cocción. Pueden acompañarse con espaguetis, o añadirse a la sopa de marisco.

¿SABÍA QUE...?

Las almejas suelen estar enterradas en la arena o en el barro. Aunque pueden vivir tanto en agua salada como dulce, las de mar tienen más sabor.

VALOR NUTRITIVO DE 100 G DE ALMEJAS SIN VALVAS

Kcal	74
Grasas totales	0,9 g
Proteínas	12,8 g
Niacina	1,8 g
Vitamina B12	49,4 mcg
Folato	16 mcg
Potasio	314 mg
Selenio	24 mcg
Magnesio	9 mg
Zinc	1,4 mg
Calcio	46 mg
Hierro	14 mg

Almejas en salsa de alubias negras

2 PERSONAS (D) (R)

900 g de almejas pequeñas

1 cucharada de aceite vegetal o
de cacahuete (aceite de maní)

1 cucharadita de jengibre fresco
bien picado

1 cucharadita de ajo bien picado

1 cucharada de alubias negras
(frijoles negros, porotos negros)
fermentadas, lavadas y
troceadas

2 cucharaditas de vino de arroz
chino o jerez seco

1 cucharada de cebolleta (cebolla
de Verdeo) bien picada

1 cucharadita de sal (opcional)

Preparación

1 Lave bien las almejas y
sumérjalas en agua limpia
hasta que las utilice.

2 Caliente un wok a fuego alto
30 segundos. Añada el aceite
y caliéntelo 30 segundos más.
Agregue el jengibre y el ajo,
y rehóguelos hasta que
desprendan su aroma.

Incorpore las alubias negras
y rehóguelas 1 minuto.

3 Incorpore las almejas y el vino
de arroz y rehóguelo todo a
fuego vivo 2 minutos para
mezclar los ingredientes, tape
el wok y deje cocer 3 minutos.
Añada la cebolleta y la sal, si
utiliza, y sírvalo inmediatamente.

56 VIEIRAS

Tal vez sean afrodisíacas, pero lo que es seguro es que su alto contenido en vitamina B12 y magnesio protege las arterias y los huesos.

Las vieiras son una fuente excelente de vitamina B12, necesaria para desactivar la homocisteína, un compuesto químico que puede dañar las paredes de los vasos sanguíneos. Los niveles elevados de homocisteína también se asocian a la osteoporosis. Un estudio reciente ha demostrado que la osteoporosis se manifiesta con mayor frecuencia entre mujeres con déficit de vitamina B12. También se ha demostrado que un elevado consumo de vitamina B12 protege contra el cáncer de colon.

Las vieiras también son una fuente muy buena de magnesio y su consumo regular contribuye a la formación ósea, libera energía, regula los nervios y mantiene sano el corazón. Su déficit puede provocar arritmias cardiacas.

- Son bajas en calorías y grasas.
- Son ricas en magnesio, que desempeña diversas funciones en el mantenimiento del organismo.
- Constituye una buena fuente de vitamina B12, que ayuda a mantener los huesos y las arterias sanos.
- Su consumo regular protege contra el cáncer de colon.

Consejos prácticos:

Las vieiras frescas deben tener la carne blanca y firme, y no deben mostrar indicios de oscurecimiento ni olores. Las vieiras sólo deben cocinarse unos minutos, ya que el calor excesivo las endurece. Su sabor dulce va bien con la guindilla, el cilantro, el ajo y el perejil.

¿SABÍA QUE...?

Las vieiras son ricas en triptofano, un aminoácido que ayuda a producir serotonina (que determina el estado de ánimo) en el cerebro y ayuda a curar el insomnio.

VALOR NUTRITIVO DE 100 G DE VIEIRAS SIN VALVAS

Kcal	88
Grasas totales	0,8 g
Proteínas	16,8 g
Vitamina B12	1,5 g
Folato	16 mcg
Potasio	314 mg
Selenio	22 mcg
Magnesio	56 mg
Zinc	0,95 mg
Calcio	24 mg

Vieiras con fideos

4 PERSONAS　(D)(R)

115 g de fideos de té verde secos

2 cucharadas de mantequilla
(manteca)

1 diente de ajo majado

una pizca de pimentón

1 cucharada de aceite vegetal
o de cacahuete (aceite de maní)

2 cucharadas de pasta de curry
verde tailandesa

2 cucharadas de agua

2 cucharaditas de salsa de soja (soya)

2 cebolletas picadas, y un poco
más para decorar

12 vieiras crudas frescas sin valvas

sal y pimienta

Preparación

1　Cueza los fideos en una
cacerola grande de agua
hirviendo 1 minuto y medio,
o siguiendo las instrucciones
del paquete, hasta que estén
tiernos, aclárelos bajo el agua
del grifo y escúrralos bien.

2　Mientras, funda la mantequilla
en una cazuela. Añada el ajo
y rehóguelo, removiendo,
a fuego lento 1 minuto.
Incorpore el pimentón y retire
la mezcla del fuego.

3　Caliente un *wok* grande a
fuego vivo 30 segundos.
Añada el aceite, haga girar
el *wok* para empapar todas
las paredes y caliéntelo
30 segundos. Añada la pasta
de curry, el agua y la salsa de
soja, y llévelo a ebullición.
Agregue los fideos hervidos
y caliéntelos, removiendo
con cuidado. Incorpore las
cebolletas, retire el *wok* del
fuego y manténgalo caliente.

4　Caliente una plancha a fuego
vivo y úntela con un poco de
aceite. Agregue las vieiras y
hágalas, pintándolas con la
mantequilla de ajo, 3 minutos.
Gírelas y hágalas como
máximo 2 minutos por el otro
lado (al abrirlas, el centro no
debería estar completamente
opaco). Salpimiente al gusto.
Reparta los fideos en 4 platos
y disponga 3 vieiras en cada
uno. Decore con el resto de
cebolleta y sirva.

57 OSTRAS

Las ostras, muy nutritivas, son ricas en zinc, que potencia la fertilidad y la salud de la piel, ayuda a curar heridas y mejora el sistema inmunitario.

Aunque existen pocas pruebas científicas de que las ostras sean afrodisíacas, son una de las mejores fuentes de zinc, y este mineral está muy vinculado a la fertilidad y la virilidad. El zinc también es importante para la salud de la piel, la curación de heridas y el sistema inmunitario, y es antioxidante. Investigaciones recientes han descubierto que las ceramidas que contienen las ostras inhiben el crecimiento de las células del cáncer de mama. Las ostras también contienen una cantidad razonable de ácidos grasos esenciales omega-3, son ricas en selenio (que mantiene la salud del sistema inmunitario) y contienen hierro, que se absorbe fácilmente, aporta energía y mantiene la sangre sana.

- Son fuente de zinc, que potencia la fertilidad y la virilidad.
- Contienen ceramidas y minerales que protegen contra diversos tipos de cáncer.
- Poseen un alto contenido en hierro, que aporta energía y resistencia a las infecciones, y mantiene la sangre sana.
- Son una buena fuente de vitaminas B.

Consejos prácticos:
Las ostras deben ser muy frescas y, si se comen crudas, deben estar vivas. Es más seguro comer ostras cultivadas ya que en los últimos años se ha descubierto que las ostras salvajes contienen niveles tóxicos de contaminantes. Sírvalas simplemente con un poco de cebolleta picada, guindilla, zumo de lima o rúcula.

¿SABÍA QUE...?

Tradicionalmente, las ostras se comían sin masticar. Las ostras también pueden cocinarse, pero pierden compuestos beneficiosos.

VALOR NUTRITIVO DE 6 OSTRAS

Kcal	50
Grasas totales	1,3 g
Proteínas	4,4 g
Vitamina B12	13,6 mcg
Folato	15 mcg
Selenio	53,5 mcg
Magnesio	28 mg
Zinc	31,8 mg
Calcio	37 mg
Hierro	4,9 mcg

Ostras Rockefeller

24 OSTRAS (D) (E) (N)

24 ostras grandes vivas
sal de roca
1 cucharada de mantequilla
    (manteca) sin sal
2 cucharadas de aceite de oliva
    virgen
6 cebolletas (cebollas de Verdeo)
    picadas
1 diente de ajo grande majado
3 cucharadas de apio bien picado
40 g de brotes de berro
85 g de hojas de espinacas tiernas,
    lavadas y sin tallos
1 cucharada de licor anisado
4 cucharadas de pan recién rallado
unas gotas de salsa de pimienta
    picante, al gusto
pimienta
cuñas de limón, para decorar

Preparación

1 Precaliente el horno a 200 °C.
   Despegue la carne de las
   ostras de las valvas con ayuda
   de un abreostras. Escúrralas.
   Disponga una capa de sal de 1
   o 2 cm en una fuente de horno
   lo bastante grande para que
   quepan todas las ostras en una
   sola capa, o bien use dos
   fuentes. Hunda las valvas de
   ostra en la sal de manera que
   se mantengan derechas.
   Cúbralas con un paño grueso
   humedecido y deje enfriar
   mientras prepara la cobertura.

2 Si no tiene bandejas para
   ostras con hendiduras que
   mantengan las valvas rectas,
   cubra el fondo de 4 bandejas
   con una capa de sal lo
   bastante gruesa para sujetar
   6 valvas derechas. Resérvelas.

3 Funda la mitad de la mantequilla y el aceite en una sartén.
   Añada las cebolletas, el ajo y el
   apio, y rehóguelos a fuego
   medio durante 2 o 3 minutos,
   removiendo a menudo.

4 Añada el resto de la mantequilla, agregue los berros y las
   espinacas, y rehogue, sin dejar
   de remover, 1 minuto o hasta
   que las hojas se pochen.
   Páselo todo por una batidora e
   incorpore el licor, el pan rallado,
   la salsa de pimienta picante y la
   pimienta. Bata bien.

5 Ponga 2 o 3 cucharaditas de
   salsa encima de cada ostra.
   Hornéelas 20 minutos en el
   horno precalentado. Póngalas
   en las bandejas preparadas,
   con cuñas de limón.

58 MEJILLONES

Los mejillones, baratos y deliciosos, son una fuente de proteínas, de vitaminas B para la salud del sistema nervioso y de yodo para la función tiroidea.

Los mejillones son bajos en grasas saturadas y ricos en proteínas, y también contienen algunas grasas esenciales omega-3 y no pocas vitaminas y minerales. Su contenido en colesterol es bajo. Una ración de mejillones aporta aproximadamente un tercio de la cantidad diaria de hierro recomendada para un adulto y en torno a tres cuartas partes de las necesidades diarias de selenio. Los mejillones son una fuente muy buena de vitaminas B y aportan más del 100 % de las necesidades diarias de B12, una cuarta parte del folato necesario y una buena cantidad de niacina. Son también una fuente de flúor para mantener los dientes sanos y de yodo para el buen funcionamiento tiroideo.

- Son bajos en calorías y en grasas y ricos en proteínas.
- Contienen altas cantidades de grasas esenciales omega-3.
- Son ricos en hierro y selenio.
- Son una buena fuente de vitaminas B.

Consejos prácticos:

Los mejillones frescos no deben oler a pescado ni a yodo; deben tener un ligero olor salobre. Se considera que los de piscifactoría son más seguros para comer que los salvajes, que pueden contener toxinas marinas. Deseche los mejillones vivos que no se cierren al tocarlos y, una vez cocinados, deseche los que no se hayan abierto. Casan muy bien con ajo, perejil y vino blanco, y se añaden a sopas de pescado, paellas y ensaladas de marisco.

¿SABÍA QUE...?

Los de carne naranja son hembras, mientras que los de carne más blanca suelen ser machos. Ambos son igual de sabrosos y nutritivos.

VALOR NUTRITIVO DE 100 G DE MEJILLONES SIN VALVAS

Kcal	86
Grasas totales	2,2 g
Proteínas	11,9 g
EPA	0,41 g
DHA	0,16 g
Vitamina C	8 mg
Niacina	1,6 mcg
Vitamina B12	12 mcg
Folato	42 mg
Vitamina E	0,55 mg
Selenio	44,5 mcg
Magnesio	34 mg
Potasio	320 mg
Zinc	1,6 mg
Calcio	26 mg
Hierro	3,9 mg

Mejillones con semillas de mostaza y chalotes

4 PERSONAS (D) (N) (R)

2 kg de mejillones vivos limpios

3 cucharadas de aceite vegetal o
de cacahuete (aceite de maní)

½ cucharada de semillas de
mostaza negra

o chalotes (echalotes) picados

2 dientes de ajo majados

2 cucharadas de vinagre destilado

4 guindillas (chiles) rojas frescas
pequeñas

450 ml de leche de coco
desnatada (descremada)

10 hojas de curry fresco o 1
cucharada de curry seco

½ cucharadita de cúrcuma molida

¼-½ cucharadita de guindilla (chile)
en polvo

sal

Preparación

1 Deseche los mejillones que tengan las valvas rotas y, si están vivos,
los que no se cierren al tocarlos con un cuchillo.

2 Caliente el aceite en un *wok* o una cacerola grande con tapa a fuego
medio-vivo. Añada las semillas de mostaza y sofríalas 1 minuto o
hasta que empiecen a crepitar.

3 Añada los chalotes y el ajo, y sofríalos, removiendo con frecuencia,
3 minutos o hasta que empiecen a dorarse. Incorpore el vinagre, las
guindillas enteras, la leche de coco, las hojas de curry, la cúrcuma, la
guindilla en polvo y una pizca de sal, y lleve a ebullición, removiendo.

4 Baje el fuego al mínimo. Agregue los mejillones, tape la cacerola y
déjelos cocer a fuego lento, agitando la cacerola con frecuencia,
durante 3 o 4 minutos o hasta que se abran todos. Deseche los
mejillones que no se hayan abierto. Ponga los mejillones en 4 boles
profundos, eche por encima unas cucharadas del caldo y sírvalos.

59 CANGREJOS

Este marisco bajo en grasas y rico en proteínas contiene L-tirosina, beneficiosa para el cerebro, y altos niveles de selenio, que protege contra el cáncer.

Los cangrejos contienen pocas grasas totales y saturadas, y muchos minerales. Su carne es una buena fuente de L-tirosina, un aminoácido que potencia la capacidad mental. Contiene tantas proteínas como una cantidad similar de ternera magra y, por lo tanto, es ideal para vegetarianos que comen pescado y marisco. Una ración de 100 g de cangrejo aporta más de la mitad de la cantidad diaria recomendada de selenio, un potente mineral con propiedades anticancerígenas, así como una cuarta parte del folato diario. Esta vitamina previene malformaciones congénitas y está relacionada con un descenso de los niveles de homocisteína en sangre, factor que contribuye a las cardiopatías.

- Constituyen una fuente excelente de proteínas bajas en grasas saturadas y también contienen ácidos grasos omega-3.
- Son ricos en varios minerales importantes.
- Aportan buenas cantidades de varias vitaminas B.
- Son ideales para quienes están a dieta.

Consejos prácticos:
Puede comprar cangrejos vivos y hervirlos en casa, o en paquetes congelados de carne de cangrejo hervida. El cangrejo en conserva suele tener un alto contenido en sodio y ha perdido gran parte de sus ácidos grasos omega-3. La carne blanca tiene un sabor delicado, mientras que la marrón es rica y de sabor fuerte; la mejor manera de servir cualquiera de ellas es con limón y pimienta negra.

¿SABÍA QUE...?

Hay más de 8.000 especies de cangrejos de agua dulce y salada. Cada año se consumen más de 1 millón de toneladas.

VALOR NUTRITIVO DE 100 G DE CARNE DE CANGREJO

Kcal	90
Grasas totales	4,3 g
Proteínas	18,5 g
EPA	0,47 g
DHA	0,450 g
Vitamina C	7 mg
Niacina	2,5 mg
Vitamina B12	9 mcg
Folato	44 mcg
Selenio	34,5 mcg
Magnesio	49 mg
Potasio	173 mg
Zinc	2,8 mg
Calcio	26 mg
Hierro	2,5 mg

Sopa de cangrejo picante

4 PERSONAS   (D) (N) (R)

1 l de caldo de pollo

2 tomates pelados y bien picados

un trozo de 2,5 cm de jengibre
    fresco, pelado y bien picado

1 guindilla (chile) roja fresca
    mondada, sin semillas y bien
    picada

2 cucharadas de vino de arroz
    chino o jerez seco

1 cucharada de vinagre de arroz

¾ cucharadita de azúcar

1 cucharada de maicena

2 cucharadas de agua

175 g de carne de cangrejo blanca,
    descongelada (si está
    congelada) o escurrida (si es
    de lata)

sal y pimienta

2 cebolletas (cebollas de Verdeo)
    en tiras, para decorar

Preparación

1 Vierta el caldo en una cacerola de fondo grueso y agregue los
   tomates, el jengibre, la guindilla, el vino de arroz, el vinagre y el
   azúcar. Lleve la mezcla a ebullición, baje el fuego, tape la cacerola
   y deje cocer a fuego lento 10 minutos.

2 Mezcle la maicena y el agua en un bol pequeño hasta obtener una
   pasta fina e incorpórela a la sopa. Deje cocer, sin dejar de remover,
   2 minutos o hasta que la sopa se haya espesado un poco.

3 Agregue la carne de cangrejo y caliéntela 2 minutos. Salpimiente,
   vierta la sopa en boles calientes y sírvala decorada con la cebolleta.

60

CIGALAS

Las cigalas, bajas en sodio y ricas en vitamina E, preservan la salud del corazón y mantienen la piel en buen estado.

Las cigalas son crustáceos de agua salada que pueden comprarse en pescaderías o bien como colas congeladas. Tienen un aspecto rosa brillante, un sabor dulce y son un buen sustituto de las gambas en muchas recetas. Tienen mucho menos sodio y colesterol que las gambas y, como la mayoría del marisco, contienen una amplia gama de minerales. Son una buena fuente de vitamina E antioxidante, que se asocia a la prevención de cardiopatías; algunos cánceres, y puede reducir el dolor causado por la artritis.

- Son bajas en calorías y grasas saturadas.
- Son una fuente de vitamina E, que ayuda a mantener un buen estado de salud.
- Son ricas en varios minerales vitales.
- Son bastante bajas en sodio y colesterol.

¿SABÍA QUE...?

Las cigalas y las langostas tienen un sabor dulce y un perfil nutricional similares.

VALOR NUTRITIVO DE 100 G DE COLAS DE CIGALA

Kcal	77
Grasas totales	1 g
Proteínas	16 g
Niacina	2,2 mg
Vitamina B12	2 mcg
Folato	37 mcg
Vitamina E	2,8 mg
Selenio	31,5 mcg
Magnesio	27 mg
Potasio	302 mg
Zinc	1,3 mg
Calcio	27 mg
Hierro	0,8 mg

Consejos prácticos:

Si compra cigalas crudas, deben estar vivas. Para cocerlas, póngalas a hervir entre 8 y 15 minutos, según el tamaño. Las cigalas cocidas, frías o congeladas pueden comerse a temperatura ambiente o bien añadirse a sofritos en el último momento de la cocción. Si las hace demasiado, quedarán duras. Puede servir colas de cigala cocidas sobre tostadas integrales con un poco de limón y pimienta negra. Los caparazones de cigala machacados son una buena base para una salsa o una sopa de marisco.

Cigalas con salsa de tomate cremosa

4 PERSONAS (D) (E) (N) (R)

1 cucharada de mantequilla
    (manteca) sin sal
1 cucharada de aceite de oliva
2 chalotes (echalotes) bien picados
4 tomates pelados y picados
2 cucharadas de concentrado de
    tomate
una pizca de orégano seco
una pizca de azúcar (opcional)
450 g de colas de cigala peladas
3 cucharadas de nata (crema)
    ligera
sal y pimienta

Para acompañar
arroz salvaje hervido
un manojo de rúcula
cuñas de limón

Preparación

1   Funda la mantequilla y el aceite en una cacerola. Añada los chalotes
    y rehóguelos a fuego lento, removiendo de vez en cuando, durante
    5 minutos. Incorpore los tomates, el concentrado de tomate y el
    orégano, tápelo y déjelo cocer a fuego lento entre 10 y 15 minutos.
    Pruebe la pasta resultante, agregue el azúcar si está muy ácida
    y salpimiente.

2   Añada las colas de cigala y caliéntelas durante 2 o 3 minutos,
    removiendo de vez en cuando. Incorpore la nata y sirva sobre un
    lecho de arroz salvaje, acompañado de rúcula y cuñas de limón.

61 LANGOSTA

La carne de la langosta, baja en grasas,
es una fuente excelente de minerales
como zinc, potasio, selenio y calcio.

Para la mayoría de personas, la langosta es un lujo ocasional más
que un alimento cotidiano pero, a pesar de sus connotaciones
ostentosas, es un producto muy sano. Como las cigalas y los
cangrejos, las langostas son ricas en minerales como zinc, potasio
y selenio. Contienen más calcio que muchos otros mariscos, una
ración aporta casi una décima parte de la cantidad diaria recomendada. El calcio ayuda a prevenir la osteoporosis y es importante para la salud del corazón y la función muscular. La langosta
también es una fuente muy buena de vitamina E, que actúa como
antioxidante y mantiene sanas las arterias.

- Una ración aporta la cantidad diaria recomendada de selenio.
- Es una gran fuente de zinc, mineral antioxidante que potencia
  el sistema inmunitario, protege la piel y es vital para la fertilidad.
- Es rica en ácido pantoténico, la vitamina B esencial para
  convertir los alimentos en energía.

Consejos prácticos:
Las langostas frescas suelen venderse vivas, ya que la carne se
estropea rápidamente después de matarlas. Deben congelarse
una hora y hervirse unos 15 minutos. Pueden comprarse colas de
langosta preparadas en la sección de congelados o refrigerados de
la mayoría de supermercados. Las pinzas contienen mucha carne,
así que no las deseche: pártalas para extraerla. Las colas de langosta
cocidas pueden comerse en ensaladas, aderezadas con limón.

¿SABÍA QUE...?
Las langostas pueden vivir
más de 50 años en libertad
y son de color azul oscuro.
Sólo al cocerlas adquieren
la tonalidad rosa.

VALOR NUTRITIVO DE UNA LANGOSTA PEQUEÑA

Kcal	135
Grasas totales	1,35 g
Proteínas	28 g
Niacina	2 mg
Vitamina B12	1,4 mcg
Ácido pantoténico	2,4 mg
Vitamina E	2,2 mg
Selenio	62 mcg
Magnesio	41 mg
Potasio	413 mg
Zinc	4,5 g
Calcio	72 mg
Hierro	0,45 mg

Ensalada de langosta, lechuga y azafrán

4 PERSONAS  **N R**

*750-800 g de carne de langosta
    recién hecha cortada en dados*
*1 aguacate (palta) grande pelado,
    sin corazón y cortado en dados*
4 tomates maduros pero duros
250 g de lechugas variadas
*1-2 cucharadas de aceite de oliva
    afrutado*
un chorrito de zumo (jugo) de limón
sal y pimienta

Mayonesa de azafrán

una pizca de hebras de azafrán
1 huevo
1 cucharadita de mostaza de Dijon
*1 cucharada de vinagre de vino
    blanco*
una pizca de sal
300 ml de aceite de girasol

Preparación

1 Para elaborar la mayonesa, sumerja las hebras de azafrán en un poco de agua tibia. Mientras tanto, en el robot de cocina el huevo, la mostaza, el vinagre y la sal. Con el robot en marcha, incorpore poco a poco aproximadamente un tercio del aceite de girasol. Cuando la mezcla empiece a espesar, incorpore el resto del aceite rápidamente. Una vez añadido todo el aceite, agregue el azafrán y el agua en la que estaba sumergido y bátalo todo. Añada más sal y pimienta, al gusto, tape la mayonesa y consérvela en el frigorífico.

2 Ponga en un bol la carne de langosta y el aguacate. Corte los tomates en cuartos y quite las pepitas. Corte la carne del tomate en dados e introdúzcalos en el bol. Aderece al gusto la mezcla de langosta con sal y pimienta, y cúbrala ligeramente con mayonesa.

3 Aliñe las hojas de lechuga con aceite de oliva y zumo de limón. Para servir, reparta la lechuga en 4 platos y disponga encima la mezcla de langosta.

4

CEREALES
Y LEGUMBRES

Los cereales y las legumbres son la mejor fuente
de fibra y carbohidratos, elementos que aportan
energía. Su amplia gama de texturas y sabores permite
utilizarlos como guarnición, como base de salsas
o para enriquecer sopas.

(V) Adecuado para vegetarianos
(D) Ideal para personas a dieta
(E) Adecuado para embarazadas
(N) Adecuado para niños mayores de 5 años
(R) Rápido de preparar y cocinar

ARROZ INTEGRAL

La fibra del arroz integral reduce el colesterol y ayuda a mantener constantes los niveles de azúcar en sangre.

Mientras que el arroz blanco contiene pocos nutrientes aparte del almidón, el integral aporta varios beneficios nutricionales. El consumo regular de arroz integral y otros cereales integrales ayuda a prevenir las cardiopatías, la diabetes y algunos tipos de cáncer. Es una buena fuente de fibra, que reduce el colesterol y mantiene constantes los niveles de azúcar en sangre. También contiene diversas proteínas y es una buena fuente de varias vitaminas B y minerales, en especial, selenio y magnesio.

- Es uno de alimentos menos alergénicos.
- Es un alimento con un índice glucémico razonablemente bajo, que ayuda a controlar los niveles de azúcar en sangre.
- Su alto contenido en vitamina B ayuda a convertir los alimentos en energía y a mantener sano el sistema nervioso.
- Su alto contenido en selenio protege contra varios tipos de cáncer, y su alto contenido en magnesio mantiene el corazón sano.

Consejos prácticos:
Conserve el arroz en un armario fresco y oscuro y consúmalo en el plazo de pocos meses. El arroz integral no se conserva tan bien como el blanco, ya que contiene pequeñas cantidades de grasa que pueden ponerse rancias con el tiempo. Cuanto más tiempo conserve el arroz, más tardará en hacerse. Si guarda el arroz sobrante inmediatamente en el frigorífico, puede conservarlo uno o dos días, pero deberá calentarlo bien para servirlo.

¿SABÍA QUE...?

El 90 % de todo el arroz se cultiva y se consume en Asia, donde se come desde hace más de 6.000 años.

VALOR NUTRITIVO DE 60 G DE ARROZ INTEGRAL CRUDO

Kcal	222
Grasas totales	1,8 g
Proteínas	5 g
Carbohidratos	46 g
Fibra	3,6 g
Niacina	3 mg
Vitamina B1	0,2 mg
Vitamina B6	0,3 mg
Selenio	19,6 mcg
Magnesio	86 mg
Hierro	0,8 mg
Zinc	1,3 g
Calcio	20 mg

Pilaf de verduras y arroz integral

4 PERSONAS (V) (E) (D) (N) (R)

4 cucharadas de aceite vegetal

1 cebolla roja bien picada

2 tallos de apio tiernos, con hojas,
   cortados en cuartos a lo largo
   y en dados

2 zanahorias peladas y ralladas

1 guindilla (chile) roja fresca, sin
   pepitas y bien picada

3 cebolletas (cebollas de Verdeo)
   bien picadas

65 g de almendras enteras
   cortadas en láminas

½ kg de arroz basmati integral
   hervido

200 g de lentejas rojas partidas
   hervidas

200 ml de caldo de verduras

5 cucharadas de zumo (jugo) de
   naranja recién exprimido

sal y pimienta

hojas de apio fresco, para decorar
   (opcional)

Preparación

1 Caliente 2 cucharadas de aceite en una sartén profunda con
   tapa. Agregue la cebolla y rehóguela a fuego medio 5 minutos.

2 Añada el apio, las zanahorias, la guindilla, la cebolletas y las
   almendras, y rehogue todo 2 minutos o hasta que las verduras
   estén tiernas pero firmes al morderlas y todavía conserven su color.
   Póngalo todo en un bol y resérvelo.

3 Eche el resto del aceite en la sartén. Incorpore el arroz y las lentejas,
   y saltéelos a fuego medio-vivo, removiendo, 1 o 2 minutos o hasta
   que estén calientes. Baje el fuego y vierta el caldo y el zumo de
   naranja. Salpimiente al gusto.

4 Eche las verduras de nuevo en la sartén. Remueva todo hasta que
   se caliente. Póngalo en una fuente caliente, decórelo con hojas de
   apio, si utiliza, y sírvalo.

63

GARBANZOS

Los garbanzos, con su pálido tono dorado, son una fuente excelente y barata de proteínas, son ricos en fibra, sustancias químicas vegetales protectoras y vitamina E.

Los garbanzos son un delicioso alimento rico en proteínas para los vegetarianos y una gran fuente de fibra. Su fibra insoluble, que se adhiere al colesterol y lo elimina del organismo, no sólo aumenta el volumen de las deposiciones y previene el estreñimiento, sino que también previene trastornos digestivos como el síndrome del colon irritable y la diverticulosis. Su fibra soluble controla y reduce el nivel de colesterol en sangre, y previene las cardiopatías y las apoplejías. Los garbanzos son muy ricos en folato, que reduce los niveles de homocisteína de la sangre, un factor de riesgo para las enfermedades cardiovasculares. También son ricos en magnesio, que relaja las arterias y protege contra los ataques al corazón.

- Tienen un contenido muy alto en folato y magnesio.
- Son una buena fuente de minerales como hierro, zinc y calcio.
- Son ricos en potasio, que equilibra los fluidos corporales y protege contra la retención de líquidos.
- Son ricos en sustancias químicas vegetales que protegen contra las cardiopatías y el cáncer.

Consejos prácticos:

Los garbanzos deben ponerse a remojo varias horas y cocerse al menos 1 hora y media. Los garbanzos cocidos y envasados son excelentes y conservan los nutrientes importantes. A menudo se comen en forma de hummus, un paté típico de Oriente Próximo, y también sustituyen la carne o el pollo en sopas, estofados y guisos.

¿SABÍA QUE...?

Los garbanzos cocidos se muelen para formar una harina muy usada en la cocina india y de Oriente Próximo. Es una alternativa a la harina de trigo en muchas recetas como masas, panes y sopas.

VALOR NUTRITIVO DE 60 G DE GARBANZOS SECOS

Kcal	218
Grasas totales	3,5 g
Proteínas	12 g
Carbohidratos	37 g
Fibra	10,3 g
Folato	232 mcg
Magnesio	65 mg
Potasio	393 mg
Zinc	2 g
Calcio	66 mg
Hierro	3,9 mg

Sopa de garbanzos

6 PERSONAS (V)(D)(E)(N)

400 g de garbanzos secos,
  puestos a remojo toda la noche
  en agua fría
2 cucharadas de aceite de oliva
1 cebolla bien picada
2 dientes de ajo bien picados
450 g de acelgas limpias y
  cortadas finas
2 ramitas de romero fresco
400 g de tomates en conserva
  troceados
sal y pimienta
unas tostadas, para acompañar

Preparación

1 Escurra los garbanzos y
   póngalos en una cacerola
   grande. Cúbralos con agua
   fría y llévelos a ebullición,
   espumando la superficie de
   vez en cuando. Baje el fuego
   y déjelos cocer a fuego lento,
   destapados, 1 hora o
   1 hora y cuarto, añadiendo
   agua si es necesario.

2 Escurra los garbanzos y
   reserve el caldo. Salpimiéntelos
   bien. Pase por el robot de
   cocina dos tercios de ellos

junto con parte del caldo hasta
que quede una pasta
homogénea, añadiendo más
caldo, si es necesario, para
lograr una consistencia de
sopa. Póngala de nuevo en la
cacerola.

3 Caliente el aceite en una
   cacerola mediana. Añada la
   cebolla y el ajo, y rehóguelos
   a fuego medio, removiendo,
   durante 3 o 4 minutos hasta
   que la cebolla esté tierna.
   Agregue las acelgas y el
   romero, y rehóguelos
   3 o 4 minutos. Incorpore
   los tomates y el resto de
   los garbanzos, y rehóguelos
   otros 5 minutos. Deseche
   el romero.

4 Añada las acelgas y la mezcla
   de tomate al puré de
   garbanzos, y deje cocer a
   fuego lento 2 o 3 minutos.
   Pruébelo y, en caso necesario,
   rectifique de sal y pimienta.
   Viértalo en boles calientes
   y sírvalo con tostadas.

64

ALUBIAS NEGRAS

Las ovaladas y brillantes alubias negras son un complemento ideal y económico para la dieta, ya que son ricas en nutrientes y fibras que reducen el colesterol.

Las alubias negras son un delicioso complemento para la dieta. Desde el punto de vista nutricional, son ricas en la parte no digerible de la planta conocida como fibra insoluble, que reduce el colesterol. Su altísimo contenido en magnesio las convierte en un alimento excelente para las personas con riesgo de desarrollar cardiopatías. Las alubias negras también son ricas en unos compuestos antioxidantes llamados antocianinas, que son unos flavonoides que previenen el cáncer y los coágulos. Cuanto más oscura sea la alubia, mayor será su actividad antioxidante. Además, las alubias negras son una fuente excelente de minerales y folato.

- Son un alimento con mucha fibra, que ayuda a combatir algunos tipos de cáncer y reduce el colesterol.
- Son ricas en antocianinas, que bloquean el desarrollo de las células cancerígenas.
- Contienen folato, beneficioso para la sangre y el desarrollo.
- Son una fuente muy buena de proteínas vegetales.

¿SABÍA QUE...?

Las alubias negras son originarias de Suramérica pero son muy populares en toda Europa, África y Asia, así como en Estados Unidos. Los conquistadores españoles las introdujeron en Europa en el siglo xv.

VALOR NUTRITIVO DE 60 G DE ALUBIAS NEGRAS SECAS

Kcal	205
Grasas totales	0,8 g
Proteínas	13,7 g
Carbohidratos	36,7 g
Fibra	13,5 g
Folato	231 mcg
Vitamina B1	0,4 mg
Magnesio	109 mg
Potasio	550 mg
Zinc	1,7 g
Calcio	42 mg

Consejos prácticos:
Puede comprar las alubias secas o bien ya cocidas y envasadas. Lave bien las alubias enlatadas en agua con sal antes de consumirlas. Si pone las alubias secas en remojo previamente, reducirá los azúcares asociados a las flatulencias. Las alubias negras pueden utilizarse en muchos platos, desde sopas y caldos hasta platos de arroz y rellenos para creps.

Salsa de alubias negras

200 ML (V) (D) (N) (R)

1 cucharada de aceite de
   cacahuete (aceite de maní)

2 cucharadas de alubias negras
   (frijoles negros, porotos negros)
   fermentadas bien picadas

1 diente de ajo picado

1 cucharada de jengibre fresco rallado

1 chalote (echalote) picado

2 cebolletas (cebolla de Verdeo)
   bien picadas

2 guindillas (chiles) verdes frescas
   pequeñas, sin pepitas y picadas

1 cucharada de salsa de soja
   (soya) clara

1 cucharada de zumo (jugo) de
   limón recién exprimido

200 ml de caldo de verduras

1-2 cucharaditas de azúcar
   extrafino (azúcar impalpable)

sal y pimienta

Preparación

1 Caliente un *wok* a fuego vivo 30 segundos. Añada el aceite y
   caliéntelo 30 segundos más. Agregue las alubias negras, el ajo,
   el jengibre y los chalotes, y rehóguelo todo 2 minutos.

2 Incorpore las cebolletas y las guindillas, y rehóguelos 2 minutos.
   Añada la salsa de soja y el zumo de limón, y deje cocer 2 minutos.
   Agregue el caldo, el azúcar y salpimiente al gusto, y deje cocer otros
   2 minutos. Ponga la salsa en un bol y sírvala.

65

ALUBIAS BLANCAS

Las alubias blancas pueden comprarse secas o ya cocidas y envasadas, y son ricas en fibra, minerales y vitaminas B.

Las alubias blancas son un alimento con mucha fibra. Su fibra soluble ayuda a reducir el colesterol e impide que los niveles de azúcar en sangre suban muy rápido tras una comida, por lo que son ideales para quienes están a dieta, padecen diabetes, resistencia a la insulina o hipoglucemia. Su fibra insoluble previene el estreñimiento y reduce la gravedad y los síntomas de los trastornos digestivos, como el síndrome del colon irritable y la diverticulosis. Son una buena fuente de proteínas y uno de los tipos de alubia que aportan más calcio. También son ricas en magnesio, potasio, hierro y zinc, y son una fuente muy buena de vitaminas B y folato.

- Son ricas en fibras solubles que reducen el colesterol y protegen de enfermedades cardiovasculares.
- La fibra insoluble regula el funcionamiento del sistema digestivo.
- Son una buena fuente de calcio para tener un corazón sano y unos huesos fuertes.
- Son ricas en minerales antioxidantes, como el zinc, que ayudan a prevenir enfermedades.

Consejos prácticos:
Para preparar las alubias, póngalas a remojo durante una noche, cambie el agua y hiérvalas a fuego vivo 10 minutos antes de dejarlas cocer a fuego lento 1 hora y media, hasta que estén tiernas. Puede hacer un puré de alubias cocidas con aceite de oliva, sal y pimienta como alternativa al puré de patata.

VALOR NUTRITIVO DE 60 G DE ALUBIAS BLANCAS SECAS

Kcal	200
Grasas totales	12 g
Proteínas	0,9 g
Carbohidratos	37,8 g
Fibra	15 g
Folato	203 mcg
Vitamina B1	0,35 mga
Niacina	0,95 mg
Magnesio	77 mg
Potasio	564 mg
Zinc	1,5 g
Calcio	100 mg
Hierro	3,4 mg

Ensalada de alubias blancas y judías verdes

4 PERSONAS Ⓥ Ⓓ Ⓔ Ⓝ Ⓡ

125 g de alubias blancas (frijoles blancos, porotos blancos)
225 g de judías verdes (chauchas, ejotes) limpias
¼ cebolla roja en aros finos
12 aceitunas negras sin hueso (carozo)
1 cucharada de cebollino (ciboulette)

Aderezo
½ cucharada de zumo (jugo) de limón
½ cucharadita de mostaza de Dijon
aceite de oliva, sal y pimienta

Preparación

1 Escurra las alubias blancas y póngalas en una cazuela. Cúbralas con agua fría y lleve a ebullición. Hiérvalas rápidamente 15 minutos, baje un poco el fuego y déjelas cocer 30 minutos o hasta que estén tiernas pero no se deshagan. Agregue la sal en los 5 últimos minutos de cocción. Escúrralas y resérvelas.

2 Mientras, cueza las judías verdes en una cacerola grande de agua hirviendo 4 minutos o hasta que estén tiernas pero todavía brillantes y crujientes. Escúrralas y resérvelas.

3 Mezcle en un bol el zumo de limón, la mostaza, 6 cucharadas de aceite y salpimiente al gusto, y deje reposar.

4 Mientras las alubias y las judías estén todavía templadas, póngalas en una fuente o repártalas entre 4 platos. Esparza por encima los aros de cebolla, las aceitunas y el cebollino.

5 Remueva el aliño y eche unas cucharadas sobre la ensalada. Sírvala a temperatura ambiente.

66

ALUBIAS ROJAS

Las alubias rojas, ricas en hierro, son una fuente excelente de proteínas de buena calidad, zinc y fibra, y contienen compuestos que previenen la trombosis.

Las alubias rojas son ideales para los vegetarianos, ya que son ricas en minerales y proteínas de alta calidad. Una ración media de alubias rojas contiene por lo menos una cuarta parte de las necesidades diarias de hierro para prevenir la anemia y aumentar los niveles de energía, mientras que su alto contenido en zinc ayuda a reforzar el sistema inmunitario y mantener la fertilidad. La alta cantidad de fibra insoluble que contienen las alubias rojas ayuda a prevenir el cáncer de colon, mientras que en el caso de las personas diabéticas y con resistencia a la insulina, el contenido de fibra total ayuda a regular los niveles de azúcar en sangre.

- Son una fuente excelente de proteínas, hierro y calcio.
- Su contenido muy alto en fibra ayuda a regular la liberación de insulina y saciar el hambre.
- Protegen contra el cáncer de colon.
- Tienen un contenido muy alto en potasio, que minimiza la retención de líquidos y ayuda a controlar la hipertensión.

¿SABÍA QUE...?

Las alubias rojas crudas contienen sustancias potencialmente tóxicas que pueden causar molestias estomacales, vómitos y diarrea. Para evitar tal riesgo, hay que hervirlas a fuego vivo por lo menos 10 minutos antes de cocinarlas.

VALOR NUTRITIVO DE 60 G DE ALUBIAS ROJAS SECAS

Kcal	200
Grasas totales	0,8 g
Proteínas	13,7 g
Carbohidratos	36 g
Fibra	10 g
Folato	205 mcg
Vitamina B1	0,25 mg
Niacina	0,9 mg
Magnesio	66 mg
Potasio	640 mg
Zinc	1,6 g
Calcio	55 mg
Hierro	3,5 mg

Consejos prácticos:

Existe poca diferencia nutricional entre las alubias secas cocidas y las envasadas, de manera que, si tiene poco tiempo, puede utilizar las envasadas. Las alubias rojas suelen añadirse a los platos de carne como el chile con carne, o utilizarse en ensaladas y, machacadas con aceite y zumo de limón, son un buen relleno para sándwiches o una sabrosa salsa.

Chile de champiñones y alubias rojas

6 PERSONAS (V) (D) (E) (N)

4 cucharadas de aceite de oliva

225 g de champiñones botón
(champiñones de París)
pequeños

1 cebolla grande picada

1 diente de ajo picado

1 pimiento (morrón, pimiento
morrón) verde, sin pepitas y
cortado en juliana

1 cucharadita de pimentón, 1 de
cilantro molido y 1 de comino
molido

¼-½ cucharadita de guindilla (chile)
en polvo

400 g de tomates en conserva
troceados

200 ml de caldo de verduras

1 cucharada de concentrado de
tomate

400 g de alubias rojas (frijoles rojos,
porotos rojos) en conserva
escurridas y aclaradas

sal y pimienta

2 cucharadas de cilantro fresco
picado, para decorar

arroz hervido y nata (crema) agria,
para acompañar

Preparación

1 Caliente 1 cucharada de
aceite en una sartén grande.
Agregue los champiñones y
sofríalos hasta que se doren.
Sáquelos con una espumadera y resérvelos.

2 Ponga el resto del aceite en la
sartén. Añada la cebolla, el ajo
y el pimiento verde, y rehóguelos 5 minutos. Incorpore el
pimentón, el cilantro, el comino
y la guindilla en polvo, y
rehogue todo otro minuto.

3 Añada los tomates, el caldo
y el concentrado de tomate,
remueva, tape y deje cocer
20 minutos.

4 Agregue los champiñones
reservados y las alubias rojas
y deje cocer, tapado, otros
20 minutos. Salpimiente al
gusto. Decore con el cilantro
y sirva con arroz hervido y
nata agria.

67 LENTEJAS

Las lentejas secas son una de las legumbres más ricas en isoflavonas y lignanos, fibras con propiedades anticancerígenas, y contienen pocas grasas totales y saturadas.

Las lentejas pueden ser de distintos colores (verdes, marrones y rojas). Las verdes y las marrones suelen ser las que contienen los niveles más altos de nutrientes y fibra. Las lentejas son una fuente muy rica de fibra, tanto insoluble como soluble, que nos protege contra cánceres y cardiopatías. También contienen sustancias químicas vegetales llamadas isoflavonas, que pueden prevenir el cáncer y las enfermedades cardiacas, y lignanos, que tienen un efecto similar al de los estrógenos que reducen el riesgo de cáncer, minimizan las molestias del síndrome premenstrual y protegen contra la osteoporosis. Las lentejas también son ricas en vitaminas B, folato y todos los minerales principales, especialmente hierro y zinc.

- Son ricas en fibra, que protege contra cánceres y cardiopatías.
- Tienen un alto contenido en hierro, que proporciona energía.
- Contienen sustancias químicas vegetales, que minimizan el síndrome premenstrual y mantienen los huesos sanos.
- Tienen un alto contenido en zinc, que refuerza el sistema inmunitario.

Consejos prácticos:

Las lentejas son una de las pocas legumbres que no necesitan ponerse a remojo antes de cocinarse. Se hacen rápidamente cociéndolas unos 30 minutos. Las lentejas secas cocidas en caldo con zanahoria, apio y cebolla constituyen una sopa rápida. Las envasadas contienen casi tantos nutrientes como las secas.

¿SABÍA QUE...?

Las lentejas fueron uno de los primeros alimentos que se cultivaron, pues se han hallado semillas de unos 8.000 años de antigüedad en Oriente Próximo.

VALOR NUTRITIVO DE 60 G DE LENTEJAS VERDES O MARRONES SECAS

Kcal	212
Grasas totales	0,6 g
Proteínas	15,5 g
Carbohidratos	36 g
Fibra	18 g
Folato	287 mcg
Vitamina B1	0,5 mg
Niacina	1,6 mg
Vitamina B6	0,3 mg
Magnesio	73 mg
Potasio	573 mg
Zinc	2,9 g
Calcio	34 mg
Hierro	4,5 mg

Lentejas y habas con cinco especias

4 PERSONAS (**v**) (**D**) (**E**) (**N**) (**R**)

200 g de lentejas rojas partidas

200 g de habas mungo partidas
sin piel

875 ml de agua caliente

1 cucharadita de cúrcuma molida

1 cucharadita de sal, o al gusto

1 cucharada de zumo (jugo) de
limón

2 cucharadas de aceite de girasol
o de oliva

¼ cucharadita de semillas de
mostaza negra

¼ cucharadita de semillas de
comino

¼ cucharadita de semillas de
neguilla

¼ cucharadita de semillas de hinojo

4-5 semillas de fenogreco

2-3 guindillas (chiles) rojas secas

1 tomate pequeño sin pepitas y
cortado en tiras, y ramitas de
cilantro, para decorar

pan, para acompañar

Preparación

1 Mezcle las lentejas y las habas, y aclárelas bajo el agua del grifo.
Ponga las lentejas en una cacerola con el agua caliente, lleve a
ebullición y baje un poco el fuego. Déjelas hervir 5 o 6 minutos y,
cuando desaparezca la espuma, añada la cúrcuma, baje el fuego al
mínimo, tápelas y déjelas cocer 20 minutos. Agregue la sal y el zumo
de limón, y bata las lentejas con unas varillas. Incorpore un poco más
de agua si las lentejas y las habas están demasiado espesas.

2 Caliente el aceite en una cacerola pequeña a fuego medio. Cuando
esté caliente, añada las semillas de mostaza. En cuanto empiecen a
crepitar, baje el fuego al mínimo y añada las semillas de comino, las
de neguilla, las de hinojo, las de fenogreco y las guindillas secas. Deje
que las especias chisporroteen hasta que las semillas crepiten.

3 Vierta las especias sobre las lentejas y las habas, rascando los restos
de la base de la cacerola. Disponga el guiso en los platos y decórelo
con tiras de tomate y ramitas de cilantro. Sírvalo con pan.

68

GUISANTES

Los guisantes, amarillos o verdes, son ricos en fibra soluble, que reduce el colesterol, y constituyen una fuente de daidzeína que protege contra el cáncer de mama.

Los guisantes partidos secos, como otras legumbres, son ricos en fibra soluble, que forma una sustancia gelatinosa en el aparato digestivo que envuelve la bilis que contiene colesterol y la expulsa del organismo. Los guisantes partidos también contienen una isoflavona, llamada daidzeína, que actúa como un estrógeno débil en el cuerpo. El consumo de esta isoflavona se ha relacionado con un menor riesgo de padecer ciertas afecciones, como los cánceres de mama y próstata. Los guisantes partidos son especialmente ricos en potasio, el mineral que ayuda a reducir la presión sanguínea, controla la retención de líquidos y limita el crecimiento de placas potencialmente nocivas en los vasos sanguíneos.

- Son ricos en fibra, que reduce el colesterol «malo».
- Contienen daidzeína, que reduce el riesgo de sufrir cánceres relacionados con las hormonas.
- Tienen un contenido muy alto en potasio, para preservar la salud del corazón.
- Excelente fuente de proteínas vegetales.

Consejos prácticos:
Como las lentejas, los guisantes partidos no necesitan estar en remojo antes de prepararse y simplemente pueden cocerse durante unos 30 minutos. Haga un puré de guisantes partidos cocidos como una alternativa más sana a las patatas. También pueden triturarse con aceite y especias para obtener una salsa.

¿SABÍA QUE...?

Los guisantes verdes partidos son guisantes frescos que se han secado en la vaina (las dos mitades se separan de manera natural). Así se comían originariamente los guisantes, que no se consumieron frescos hasta la Edad Media.

VALOR NUTRITIVO DE 60 G DE GUISANTES PARTIDOS SECOS

Kcal	205
Grasas totales	0,7 g
Proteínas	14,5 g
Carbohidratos	36 g
Fibra	15 g
Folato	164 mcg
Vitamina B1	0,4 mg
Niacina	1,7 mg
Magnesio	69 mg
Potasio	589 mg
Zinc	1,8 g
Calcio	33 mg
Hierro	2,6 mg
Betacaroteno	53 mcg

Sopa de guisantes partidos y jamón

6-8 PERSONAS   (D) (E) (N)

400 g de guisantes (chícharos)
    verdes partidos

1 cucharada de aceite de oliva

1 cebolla grande bien picada

1 zanahoria grande pelada y picada

1 tallo de apio bien picado

1 l de caldo de pollo o de verduras

1 l de agua

225 g de jamón de york (cocido)
    magro cortado en dados
    pequeños

¼ cucharadita de tomillo seco

¼ cucharadita de mejorana seca

1 hoja de laurel

sal y pimienta

Preparación

1   Lave los guisantes bajo el agua del grifo. Póngalos en una cazuela y cúbralos generosamente con agua. Lleve a ebullición y déjelos hervir 3 minutos, espumando la superficie del agua. Escúrralos y resérvelos.

2   Caliente el aceite en una cacerola grande. Agregue la cebolla y rehóguela a fuego medio 3 o 4 minutos hasta que esté tierna.

3   Agregue la zanahoria y el apio, y rehóguelos 2 minutos. Incorpore los guisantes, vierta el caldo y el agua, y remueva bien. Llévelo todo a ebullición y añada el jamón a la sopa.

4   Agregue el tomillo, la mejorana y la hoja de laurel. Baje el fuego, tape la cacerola y deje cocer a fuego lento durante 1 hora o 1 hora y media hasta que los ingredientes estén muy tiernos. Retire la hoja de laurel. Pruebe y, si es necesario, rectifique de sal y pimienta. Sirva la sopa en boles calientes.

CEBADA INTEGRAL

Este cereal rico en almidón, muy nutritivo, contiene fibra soluble que reduce el colesterol «malo» y nos protege contra cánceres hormonales y cardiopatías.

La cebada integral es un cereal con un rico y ligero sabor a nueces y una textura masticable. La mayor parte de la cebada que se vende es cebada perlada, que ha sido procesada y ha perdido casi todos sus nutrientes y su fibra, mientras que la cebada integral o sin cáscara es una buena fuente de nutrientes. Contiene mucha fibra, entre ella fibra soluble, y un compuesto similar a la fibra llamado lignano, que protege contra cánceres de mama y otros tipos de cánceres hormonales, así como contra afecciones cardiacas. La cebada contiene luteína y zeaxantina, beneficiosas para la vista y la salud de los ojos.

- Los cereales integrales protegen contra el cáncer y las cardiopatías.
- Es una buena fuente de minerales y vitaminas B.
- Tiene un alto contenido en fibra, que mantiene el colon sano, y en fibra soluble, que reduce el colesterol.
- Ayuda a mantener los ojos sanos.

Consejos prácticos:
La cebada integral debe cocerse hasta 2 horas, pero si se pone en remojo unas horas, el tiempo de cocción se reduce. Añádala a sopas y guisos para aportarles fibra y que sean más nutritivos. Sus grasas pueden hacer que se ponga rancia en poco tiempo. Consérvela siempre en un recipiente hermético y en un lugar fresco, seco y oscuro, y consúmala en el plazo de dos a tres meses.

¿SABÍA QUE...?

El agua de cebada, que se elabora macerando el cereal en agua, se considera una bebida diurética y beneficiosa para los riñones.

VALOR NUTRITIVO DE 60 G DE CEBADA INTEGRAL CRUDA

Kcal	212
Grasas totales	1,4 g
Proteínas	7,5 g
Carbohidratos	44 g
Fibra	10,4 g
Vitamina B1	0,4 mg
Niacina	2,8 mg
Selenio	22,5 mcg
Magnesio	80 mg
Potasio	271 mg
Zinc	1,7 g
Calcio	20 mg
Hierro	2,2 mg
Luteína/zeaxantina	96 mcg

Sopa de verduras con cebada

4-6 PERSONAS (V)(D)(E)(N)

2 cucharadas de aceite de girasol

1 cebolla bien picada

1 tallo de apio bien picado

1 diente de ajo majado

1½ l de caldo de verduras
o agua

85 g de cebada integral aclarada

1 bouquet garni compuesto por
1 hoja de laurel y ramitas de
tomillo y perejil frescos

2 zanahorias peladas y en dados

400 g de tomates en conserva
troceados

una pizca de azúcar

½ col (repollo) blanca sin corazón y
troceada

sal y pimienta

2 cucharadas de perejil fresco
picado, para decorar

rebanadas de pan integral, para
acompañar

Preparación

1 Caliente el aceite en una cacerola grande. Agregue la cebolla, el apio
y el ajo, y rehóguelos a fuego medio entre 5 y 7 minutos hasta que
todo esté tierno.

2 Vierta el caldo y llévelo a ebullición, espumando de vez en cuando.
Añada la cebada y el bouquet garni, baje el fuego al mínimo, tape
la cacerola, y deje hervir entre 30 minutos y 1 hora hasta que los
cereales empiecen a ponerse tiernos.

3 Incorpore las zanahorias, los tomates con su jugo y el azúcar.
Lleve el líquido de nuevo a ebullición, baje el fuego al mínimo,
tape la cacerola y deje cocer otros 30 minutos o hasta que
la cebada y las zanahorias estén tiernas.

4 Antes de servir, retire el bouquet garni, incorpore la col y salpimiente
al gusto. Deje cocer hasta que la col se poche, vierta la sopa en
boles calientes y decórela con perejil. Sírvala con pan integral.

70

AVENA

La avena es barata, rica en fibra soluble y fuente de grasas saludables. Sacia el hambre, reduce el colesterol «malo» y mantiene los niveles de azúcar en sangre.

La avena tiene varias propiedades saludables. Es rica en una fibra soluble llamada betaglucano y ayuda a reducir el colesterol «malo», aumentar el colesterol «bueno», mantener sano el sistema circulatorio y prevenir los ataques al corazón. La avena también contiene varios antioxidantes y sustancias químicas vegetales que mantienen sanos el corazón y las arterias, como las avenantramidas (una fitoalexina con propiedades antibióticas), saponinas y vitamina E. También contienen polifenoles, unos compuestos vegetales que pueden impedir el crecimiento de los tumores. Su índice glucémico es bajo, lo que significa que es especialmente adecuada para personas que están a dieta, con resistencia a la insulina y diabéticas.

• Ayuda a mantener el corazón y las arterias sanos.
• Contiene sustancias químicas que reducen el riesgo de cáncer.
• Su índice glucémico es inferior al de muchos cereales.
• Es una buena fuente de diversas vitaminas y minerales, como vitaminas B, vitamina E, magnesio, calcio y hierro.

Consejos prácticos:
El contenido en grasas de la avena hace que no pueda conservarse mucho tiempo; guárdela en un recipiente hermético y en un lugar fresco, seco y oscuro y consúmala en el plazo de 2 o 3 semanas. Utilice copos de avena para elaborar muesli casero. Los copos de avena pueden utilizarse para preparar galletas y coberturas crujientes, y la harina de avena puede sustituir la de trigo.

¿SABÍA QUE...?
Aunque la avena contiene pequeñas cantidades de gluten, las personas con intolerancia al gluten (celiacos) pueden incorporar la avena a su dieta, especialmente si se limita a 200 g al día. Los celiacos deberían consultar a su médico antes de comer avena.

VALOR NUTRITIVO DE 60 G DE AVENA

Kcal	233
Grasas totales	4 g
Proteínas	10 g
Carbohidratos	40 g
Fibra	6,4 g
Folato	34 mcg
Vitamina B1	0,5 mg
Niacina	0,6 mg
Vitamina E	1,5 mg
Magnesio	106 mg
Potasio	257 mg
Zinc	2,4 g
Calcio	32 mg
Hierro	2,8 mg

Barritas de avena

16 BARRITAS   (V) (N)

1½ barritas de mantequilla (manteca)

3 cucharadas de miel

200 g de azúcar moreno (azúcar negra)

125 g de mantequilla de cacahuete
  (manteca de maní)

750 g de copos de avena

65 g de orejones de albaricoque
  (chabacano, damasco) picados

2 cucharadas de pipas de girasol

2 cucharadas de semillas de sésamo

Preparación

1   Precaliente el horno a 180 °C. Unte con mantequilla y forre con
papel parafinado una fuente de horno cuadrada de 22 cm de lado.

2   Funda la mantequilla, la miel y el azúcar en una cazuela a fuego
lento. Cuando el azúcar se haya fundido, añada la mantequilla de
cacahuete y remueva hasta que se mezcle bien. Agregue los demás
ingredientes y mezcle bien.

3   Ponga la mezcla en la fuente preparada, presiónela, y hornéela
20 minutos. Saque la fuente del horno, deje enfriar, corte la masa
en 16 cuadrados y sirva.

71

SOJA

La soja es una valiosa legumbre, rica en minerales y sustancias químicas vegetales que previenen enfermedades, y constituye una completa fuente de proteínas.

La soja lleva cultivándose en China más de 10.000 años y es una de las pocas fuentes vegetales de proteínas, ya que contiene los ocho aminoácidos esenciales necesarios en nuestra dieta. La soja también es una excelente fuente de calcio, vitaminas B, potasio, zinc y magnesio. Es una fuente muy rica de hierro, aunque el organismo sólo puede absorber ese hierro si se come junto con alimentos ricos en vitamina C. La soja es rica en sustancias químicas que protegen contra diversas enfermedades, incluidos el cáncer de mama y de próstata, y las cardiopatías. Su consumo regular reduce los síntomas de la menopausia.

- Es una completa fuente de proteínas bajas en grasas saturadas.
- Es rica en compuestos vegetales, que protegen contra los cánceres relacionados con las hormonas.
- Reduce el colesterol «malo» y protege contra las cardiopatías.
- Reduce los síntomas de la menopausia, como los sofocos.

Consejos prácticos:
La soja en conserva es una alternativa rápida y fácil a las alubias secas y presenta un perfil nutritivo similar. Puede utilizar granos de soja en sopas y guisos, machacarlos para elaborar una salsa, o añadirlos a las hamburguesas vegetales. El tofu se elabora a partir de granos de soja procesados y es una buena alternativa baja en grasas y en sodio. En ocasiones, la harina de trigo puede sustituirse por harina de soja para aumentar el contenido en nutrientes.

¿SABÍA QUE...?

Edamame es el nombre de los granos de soja frescos, que pueden hallarse sin vaina, congelados o, en ocasiones, frescos, en mercados y tiendas de productos *gourmet*. Cocínelos como las habas y otras legumbres frescas.

VALOR NUTRITIVO DE 60 G DE GRANOS DE SOJA SECOS

Kcal	250
Grasas totales	12 g
Proteínas	22 g
Carbohidratos	18 g
Fibra	5,6 g
Folato	225 mcg
Vitamina B1	0,5 mg
Riboflavina	0,5 mg
Niacina	0,95 mg
Magnesio	168 mg
Potasio	1078 mg
Zinc	2,9 g
Calcio	166 mg
Hierro	9,4 mg

Granos de soja marinados

10-12 PERSONAS (v) (D)

225 g de granos de soja (soya)
frescos, lavados y con los tallos
recortados con tijeras
300 ml de vino de arroz chino
200 ml de agua fría
3 cucharadas de azúcar

Preparación

1 Hierva los granos de soja en una cazuela con agua y un poco de sal, tapada, y deje el agua hervir unos 15 minutos o hasta que empiecen a ponerse tiernos pero no se abran. Escúrralos y enfríelos.

2 Ponga los granos de soja en un bol grande y vierta el resto de los ingredientes. Déjelos reposar 24 horas en un lugar fresco. Sírvalos fríos y quite la vaina de los granos antes de comerlos.

5

HIERBAS AROMÁTICAS Y ESPECIAS

Las hierbas aromáticas y las especias aportan beneficios tanto nutritivos como medicinales, e incluso en pequeñas cantidades pueden tener gran impacto en cualquier dieta. Utilícelas para rematar su plato de pasta o o curry favorito, o elabore panes y bollos con ellas.

(V) Adecuado para vegetarianos

(D) Ideal para personas a dieta

(E) Adecuado para embarazadas

(N) Adecuado para niños mayores de 5 años

(R) Rápido de preparar y cocinar

72 ALBAHACA

Las hojas verdes, brillantes y fragantes de la albahaca son ligeramente sedantes, atenúan el dolor y ayudan a combatir la indigestión.

La albahaca es el ingrediente principal del pesto italiano y se utiliza desde hace miles de años en la India y el Mediterráneo. Es beneficiosa para la salud y se utiliza desde hace mucho en la medicina tradicional como remedio contra la indigestión, las náuseas y el dolor de estómago. Es ligeramente sedante y una infusión de aceite de albahaca puede utilizarse como repelente de insectos y para aliviar sus picaduras. La albahaca contiene compuestos flavonoides muy antioxidantes. Las hojas contienen aceites volátiles con sustancias químicas que combaten las bacterias que estropean los alimentos. El eugenol, también presente, es una sustancia química antiinflamatoria, similar a la aspirina, que alivia el dolor de la artritis y suaviza el síndrome del colon irritable.

- Se utiliza tradicionalmente en remedios para la indigestión, las náuseas y el dolor de estómago.
- Actúa como repelente de insectos y tiene acción antibacteriana.
- Es antiinflamatoria.
- Su contenido en luteína y zeaxantina mantiene los ojos sanos.

Consejos prácticos:
Conviene añadirla al final de la cocción para preservar su sabor, su aroma y sus aceites. Si las hojas son grandes, es mejor partirlas con la mano que utilizar un cuchillo. Puede acompañar la pasta con un pesto rápido elaborado machacando albahaca con piñones, aceite de oliva, sal y pimienta.

¿SABÍA QUE...?

El estragol que contiene la albahaca se ha asociado al cáncer en animales, pero no supone ningún riesgo para los humanos.

VALOR NUTRITIVO DE 15 G DE ALBAHACA

Kcal	222
Grasas totales	1,8 g
Proteínas	5 g
Carbohidratos	46 g
Fibra	3,6 g
Niacina	3 mg
Vitamina B1	0,2 mg
Vitamina B6	0,3 mg
Selenio	19,6 mcg
Magnesio	86 mg
Hierro	0,8 mg
Zinc	1,3 mg
Calcio	20 mg
Luteína/zeaxantina	848 mcg

Timbal de pimiento y albahaca

4 PERSONAS   (v) (D) (E) (N)

1 cucharadita de aceite de oliva

2 chalotes (echalotes) bien picados

2 dientes de ajo majados

2 pimientos (morrones, pimientos
   morrones) rojos pelados,
   sin pepitas y en juliana

1 pimiento (morrón, pimiento
   morrón) naranja pelado,
   sin pepitas y en juliana

4 tomates en rodajas finas

2 cucharadas de albahaca fresca
   troceada

pimienta

lechuga para acompañar

Preparación

1 Unte con un poco de aceite 4 moldes, pequeños y redondos. Mezcle los chalotes y el ajo en un bol, y añada pimienta al gusto.

2 Disponga en capas el pimiento rojo y el naranja con los tomates en los moldes, agregando sobre cada capa la mezcla de chalotes y albahaca troceada. Una vez añadidos todos los ingredientes, cubra los moldes con film transparente o papel parafinado. Ponga sobre el film o el papel pequeños pesos y refrigere por lo menos 6 horas o, mejor, hasta el día siguiente.

3 Retire con cuidado los pesos y el film, y pase un cuchillo por el borde. Vuelque los timbales en platos y acompáñelos con lechuga.

73

MENTA

Popular como hierba de jardín, la menta es un remedio que calma y relaja el estómago, y puede aliviar los mareos y la congestión provocada por los resfriados.

Durante miles de años, la menta se ha utilizado por su sabor y sus propiedades medicinales. Los tres tipos de menta más utilizados son la menta piperita, la hierbabuena y la menta suaveolens o hierbabuena bastarda. Los aceites mentolados que contienen, especialmente la menta piperita, son un remedio natural contra la indigestión, y por ello suele tomarse una infusión de menta tras una comida copiosa. El mentol también alivia la congestión de cabeza y pecho durante los resfriados y la gripe, y ayuda a quienes sufren rinitis alérgica. Los aceites son antibacterianos y ayudan a prevenir la *H. pylori*, causante de úlceras de estómago, además de impedir la multiplicación de bacterias como la salmonela y la *E. coli*.

- Alivia la indigestión y calma las molestias estomacales.
- Alivia la congestión nasal y de pecho.
- Posee propiedades antibacterianas.
- Puede tener propiedades anticancerígenas.

Consejos prácticos:
Lo mejor es tomar la menta fresca, ya que las hojas secas pierden la mayor parte de sus propiedades. Una forma sencilla de disfrutar de la menta fresca es picarla muy fina y mezclarla con yogur para acompañar el cordero o las berenjenas. Elabore una salsa de menta sencilla mezclando menta fresca picada con vinagre balsámico. También puede macerar un puñado de hojas frescas en agua hirviendo 5 minutos para hacer una infusión de menta.

¿SABÍA QUE...?

Si pone unos tallos de menta recién recogida en una jarra de agua, pasados unos días le crecen raíces y puede trasplantarlos para tener menta fresca todo el año.

VALOR NUTRITIVO DE 15 G DE MENTA

Kcal	7
Grasas totales	Inapreciables
Proteínas	0,5 g
Carbohidratos	1,2 g
Fibra	1 g
Folato	16 mcg
Magnesio	9 mg
Potasio	69 mg
Calcio	30 mg
Hierro	1,8 mg

Chutney de menta y espinacas

4-6 PERSONAS   (v) (D) (E) (N)

55 g de hojas de espinacas frescas
    tiernas

3 cucharadas de hojas de menta
    fresca

2 cucharadas de hojas de cilantro
    fresco

1 cebolla roja pequeña troceada

1 diente de ajo pequeño picado

1 guindilla (chile) verde fresca
    picada (sin pepitas, si se
    prefiere)

2½ cucharaditas de azúcar

1 cucharada de zumo (jugo) de
    tamarindo o el zumo (jugo) de
    ½ limón

Preparación

1 Pase todos los ingredientes por el robot de cocina hasta obtener
una pasta homogénea, añadiendo sólo el agua necesaria para
poder batirlos.

2 Ponga la mezcla en un bol, tápelo y métalo en el frigorífico por lo
menos 30 minutos antes de servir. Sirva con samosas o brochetas
de cordero.

74

PEREJIL

El perejil es un remedio tradicional con muchas propiedades antioxidantes y anticoagulantes, además de ser rico en vitamina C y hierro.

Tanto el perejil de hoja plana como el de hoja rizada tienen un perfil nutricional similar. Muchas veces se utilizan ramitas de perejil para decorar platos y luego se desechan, lo cual es una pena, ya que las hojas son una buena fuente de numerosos nutrientes, como vitamina C y hierro. La miristicina, un compuesto que contiene el perejil, inhibe los tumores en los animales y tiene un gran poder antioxidante, ya que neutraliza los agentes carcinógenos en el organismo, como los peligrosos compuestos del humo del tabaco y de la barbacoa. También es anticoagulante y contiene compuestos de aceites que se asocian al alivio de las molestias menstruales como el dolor, la retención de líquidos y los calambres.

• Es una buena fuente de vitamina C, hierro, potasio y folato.
• Contiene luteína y zeaxantina, que previenen la degeneración macular.
• Purifica la respiración.
• Tiene acción antioxidante y anticancerígena.
• Contiene el aceite esencial apiol, utilizado como remedio contra la retención de líquidos y los trastornos menstruales.

Consejos prácticos:

El perejil se conserva bien en el frigorífico varios días. Combine perejil picado con menta, zumo de limón y aceite, y mézclelo con trigo bulgur cocido para obtener tabbouleh. Haga un pesto de perejil para la pasta con nueces molidas y aceite de oliva.

¿SABÍA QUE...?

El perejil pertenece a la familia de las umbelíferas y está muy relacionado con la chirivía. Existe un «perejil de raíz» que puede usarse de manera similar y es popular en la cocina europea.

VALOR NUTRITIVO DE 15 G DE PEREJIL

Kcal	5
Grasas totales	Inapreciables
Proteínas	0,5 g
Carbohidratos	1 g
Fibra	0,5 g
Vitamina C	20 mg
Folato	23 mcg
Magnesio	8 mg
Potasio	83 mg
Calcio	21 mg
Hierro	0,9 mg
Betacaroteno	758 mcg
Luteína/zeaxantina	834 mcg

Vinagreta de perejil

200 ML APROX. (V) (D) (E) (N) (R)

125 ml de aceite de oliva o de otro
   vegetal
3 cucharadas de vinagre de vino
   blanco o zumo (jugo) de limón
1½ cucharadas de perejil fresco
   picado
1 cucharadita de mostaza de Dijon
½ cucharadita de azúcar extrafino
   (azúcar impalpable)
sal y pimienta

Preparación

1 Ponga todos los ingredientes en un tarro con tapa de rosca, ciérrelo
   y agítelo con fuerza hasta obtener una emulsión espesa. Pruebe y, si
   es necesario, rectifique de sal y pimienta.

2 Utilice la vinagreta inmediatamente o consérvela en un recipiente
   hermético en el frigorífico hasta 3 días. Sírvala como aliño de
   ensaladas. Remueva o agite el aliño siempre antes de utilizarlo,
   y páselo por un colador no metálico si las hierbas se oscurecen.

75 ROMERO

El penetrante romero fresco tiene grandes beneficios medicinales, mitiga los síntomas de los resfriados y la gripe y previene las enfermedades asociadas al envejecimiento.

Tradicionalmente, el romero se ha utilizado como estimulante mental, impulsor de la memoria, tónico general y para cuidar la circulación. Los herboristas llevan mucho tiempo recomendando una infusión de romero para tratar resfriados, gripes y reumatismo. Como otras hierbas aromáticas, el romero permite luchar contra bacterias que pueden causar infecciones de garganta como la *E. coli*, y los estafilococos, así que una infusión de romero es ideal para hacer gárgaras. Además, investigaciones recientes han demostrado que el romero es una de las hierbas aromáticas con mayor actividad antioxidante, que ayuda a reducir el riesgo de enfermedades y los efectos del envejecimiento.

- Posee una gran actividad antioxidante.
- Ayuda a potenciar la memoria y la actividad cerebral.
- Posee propiedades antibacterianas.
- Se utiliza como tónico general y puede mejorar la depresión.

Consejos prácticos:
El romero se seca bien y conserva algunos de sus efectos antioxidantes. Cuelgue ramitas para secar en una cocina cálida y después desprenda las hojas y consérvelas en un recipiente hermético. Las hojas de romero fresco pueden picarse y mezclarse con tomillo, salvia y orégano, y añadirse a guisos mediterráneos o rellenos de tortillas. Utilice ramitas de romero fresco con ajo para condimentar el pollo, el cerdo o el cordero asado.

¿SABÍA QUE...?

Diversas pruebas han demostrado que el extracto de romero elimina toxinas del hígado, mejora el estado de la piel y bloquea los estrógenos en el organismo de una forma similar a los medicamentos contra el cáncer de mama.

VALOR NUTRITIVO DE 15 G DE ROMERO

Kcal	20
Grasas totales	0,9 g
Proteínas	0,5 g
Carbohidratos	3,1 g
Fibra	2 g
Folato	16 mcg
Magnesio	14 mg
Potasio	100 mg
Calcio	48 mg
Hierro	1 mg

Brochetas de rape, romero y beicon

12 BROCHETAS Ⓓ Ⓝ

250 g de filetes de rape
12 tallos de romero fresco y unas
    ramitas frescas para decorar
3 cucharadas de aceite de oliva
el zumo (jugo) de ½ limón pequeño
1 diente de ajo majado
6 lonchas de beicon (panceta)
sal y pimienta
cuñas de limón, para decorar

Salsa

3 yemas de huevo
4 dientes de ajo frescos
el zumo (jugo) de ½ limón
200 ml de aceite de oliva virgen
1 cucharadita rasa de mostaza
    en polvo

Preparación

1 Corte los filetes de rape por
la mitad a lo largo y luego
cada filete en 12 dados para
obtener un total de 24 piezas.
Ponga los trozos de rape en
un bol grande.

2 Para preparar los pinchos de
romero, desprenda las hojas
de los tallos y resérvelas,
dejando algunas hojas en un
extremo. Pique bien las hojas
reservadas y mézclelas en un
bol con el aceite, el zumo
de limón, el ajo, la sal y la
pimienta. Incorpore los trozos
de rape y remueva hasta que

estén cubiertos de adobo.
Métalos en el frigorífico
1 o 2 horas.

3 Precaliente el grill del horno o
la barbacoa. Para preparar la
salsa, pase por el robot de
cocina todos los ingredientes
excepto el aceite. Con el
motor en marcha, vierta el
aceite poco a poco hasta
obtener una salsa espesa.
Póngalo todo en un bol y
resérvelo.

4 Corte cada loncha de beicon
por la mitad a lo largo y de
nuevo por la mitad a lo ancho,
y enrolle cada pieza. Ensarte
2 piezas de rape alternándolas
con 2 rollos de beicon en cada
pincho de romero.

5 Ase las brochetas bajo el grill
precalentado o sobre las
brasas 10 minutos, o hasta
que estén hechos, girándolos
de vez en cuando y regándo-
los con el resto del adobo.
Procure que las brochetas
no se quemen. Sírvalas con
las cuñas de limón y la salsa.

76 SALVIA

La salvia, rica en compuestos beneficiosos, ayuda a ralentizar el proceso de envejecimiento y minimiza los síntomas de la artritis y el asma.

Originaria del Mediterráneo, la salvia se utiliza desde hace miles de años y tiene una de las tradiciones de uso más largas entre las hierbas medicinales. Contiene diversos aceites volátiles, flavonoides y ácidos fenólicos. Es una de las diez hierbas aromáticas con más efectos antioxidantes, que neutralizan los radicales libres, perjudiciales para las células, que se creen relacionados con el proceso de envejecimiento. Los herboristas creen desde hace mucho tiempo que la salvia es un gran potenciador de la memoria y, en diversas pruebas, incluso pequeñas cantidades mejoraron significativamente la memoria a corto plazo. La salvia también es antibacteriana, ayuda a reducir el número de sofocos asociados a la menopausia y está recomendada para personas con enfermedades inflamatorias como la artritis reumatoide y el asma.

- Posee grandes propiedades antioxidantes y antibacterianas.
- Potencia la memoria.
- Reduce los sofocos asociados a la menopausia.
- Tiene propiedades antiinflamatorias.

Consejos prácticos:
La salvia es un arbusto resistente de hoja perenne, fácil de cultivar, que está disponible todo el año. Las hojas pueden secarse y conservarse después en un recipiente hermético. Añada salvia a otras hierbas aromáticas picadas para hacer un relleno o una tortilla de hierbas. Esparza salvia fresca sobre las pizzas y la pasta.

¿SABÍA QUE...?
Durante mucho tiempo los herboristas han reconocido las propiedades antioxidantes de la salvia. Los antiguos griegos la utilizaban para conservar la carne y los médicos árabes del siglo x creían que era la fuente de la inmortalidad.

VALOR NUTRITIVO DE 15 G DE SALVIA

Kcal	22
Grasas totales	0,9 g
Proteínas	0,7 g
Carbohidratos	4,2 g
Fibra	2,8 g
Folato	19 mcg
Magnesio	30 mg
Potasio	75 mg
Calcio	116 mg
Hierro	1,9 mg
Betacaroteno	244 mcg

Pan de ajo y salvia

1 HOGAZA   (V) (N)

450 g de harina de fuerza para pan
    integral, y un poco más para
    espolvorear
1 paquete de levadura seca activa
3 cucharaditas de salvia fresca
    picada, y unas hojas para decorar
1 cucharadita de sal marina
3 dientes de ajo bien picados
1 cucharadita de miel
200 ml de agua tibia
aceite vegetal, para untar
queso crema, para acompañar

Preparación

1 Tamice la harina en un bol y deseche el salvado que quede en el colador. Incorpore la levadura, la salvia y la sal. Reserve 1 cucharadita de ajo y añada el resto al bol. Haga un orificio en el centro y vierta la miel y el agua. Remueva bien hasta que la masa empiece a ligar y amásela con las manos hasta que se separe de las paredes del bol. Póngala en una superficie ligeramente enharinada y amásela 10 minutos, o hasta que la masa esté homogénea y elástica.

2 Unte un bol con aceite. Forme una bola con la masa, póngala en el bol y envuelva el bol con una bolsa de plástico o cúbralo con un paño húmedo. Deje que la masa suba en un lugar cálido 1 hora o hasta que haya duplicado su volumen.

3 Unte una bandeja de horno con aceite. Ponga la masa en una superficie ligeramente enharinada, presiónela con el puño y amásela 2 minutos. Enrolle la masa formando una salchicha larga, déle forma de aro y póngala en la bandeja de horno. Unte el exterior de un bol con aceite y póngalo en el centro del aro para que éste no se cierre cuando suba la masa. Envuelva la bandeja de horno con una bolsa de plástico o cúbrala con un paño húmedo y déjela en un lugar cálido 30 minutos.

4 Precaliente el horno a 200 °C. Saque el bol del centro del pan. Espolvoree el pan con el ajo reservado y un poco de harina, y hornéelo en el horno precalentado entre 25 y 30 minutos, hasta que el pan suene a hueco al golpear la base con los nudillos. Póngalo sobre una rejilla para que se enfríe. Córtelo en rebanadas, extienda el queso crema por encima, decórelo con las hojas de salvia y sírvalo.

77

ORÉGANO

El orégano es la hierba con más propiedades antioxidantes, ayuda a prevenir las bacterias que estropean la carne y refuerza el sistema inmunitario.

Según diversas pruebas realizadas por el Departamento de Agricultura de Estados Unidos, el orégano es la hierba con mayor acción antioxidante. Ha demostrado tener 42 veces más actividad antioxidante que las manzanas, 12 veces más que las naranjas y 4 veces más que los arándanos. Entre los aceites volátiles de esta especia se encuentran el timol y el carvacrol, los cuales inhiben fuertemente el crecimiento de bacterias como *Staphylococcus aureus*. El orégano también es una buena fuente de diversos nutrientes, como calcio, potasio, hierro y magnesio. También es rico en fibra dietética y puede reducir el colesterol «malo»

- Es una de las hierbas con mayor poder antioxidante.
- Es antibacteriano y puede reducir los síntomas de los resfriados.
- Es rico en minerales.
- Posee un alto contenido en fibra y ayuda a hacer la digestión.

¿SABÍA QUE...?

Si se sustituye el orégano fresco por el de hojas secas en una receta, se debe reducir la cantidad utilizada a la mitad.

VALOR NUTRITIVO DE 15 G DE ORÉGANO

Kcal	21
Grasas totales	0,8 g
Proteínas	0,7 g
Carbohidratos	4,5 g
Fibra	3 g
Niacina	0,4 mg
Folato	19 mcg
Magnesio	19 mg
Potasio	117 mg
Calcio	110 mg
Hierro	3 mg
Betacaroteno	288 mcg

Consejos prácticos:

El orégano es una hierba fácil de cultivar y puede plantarlo en una maceta en el alféizar. Las hojas se secan bien y pueden conservarse en un recipiente hermético. Sustituya el orégano seco por lo menos cada 3 meses, ya que pierde su aroma y sabor con el tiempo. El orégano es una de las hierbas aromáticas tradicionales que se incluye en las mezclas de especias y las hierbas provenzales. El orégano va especialmente bien con los huevos, los tomates, el cordero y el pollo.

Atún con salsa verde

4 PERSONAS (**D**) (**N**) (**R**)

4 filetes de atún fresco de unos
*   2 cm de grosor*
aceite de oliva, para untar
sal y pimienta
cuñas de limón, para decorar

Salsa verde

55 g de perejil, hojas y tallos
4 cebolletas (cebollas de Verdeo)
*   picadas*
2 dientes de ajo picados
3 filetes de anchoas en aceite,
*   escurridos*
30 g de hojas de albahaca fresca
½ cucharada de alcaparras en
*   salmuera, aclaradas y secas*
2 ramitas de orégano fresco
½ cucharadita de orégano seco
125 ml de aceite de oliva virgen
*   extra, y un poco más si es*
*   necesario*
1-2 cucharadas de zumo (jugo) de
*   limón, o al gusto*

Preparación

1 Para elaborar la salsa pase por el robot de cocina el perejil, las cebolletas, el ajo, los filetes de anchoa, la albahaca, las alcaparras y el orégano, seleccionando la opción de picar y mezclar. Con el motor en marcha, agregue poco a poco el aceite. Añada zumo de limón al gusto y bata de nuevo. Póngala en un bol, tápela y déjela enfriar en el frigorífico.

2 Ponga una plancha de hierro fundido a calentar a fuego vivo. Unte los filetes de atún con aceite, colóquelos (con la parte untada hacia abajo) en la plancha y hágalos 2 minutos.

3 Aliñe ligeramente la parte superior del pescado con un poco más de aceite. Gire los filetes con unas pinzas y salpiméntelos al gusto. Áselos otros 2 minutos si le gustan poco hechos y hasta 4 minutos si los prefiere muy hechos.

4 Ponga los filetes de atún en platos y sírvalos con salsa verde por encima y acompañados de cuñas de limón.

78

CILANTRO

Las hojas de cilantro son antibacterianas, antiinflamatorias y pueden mejorar considerablemente el colesterol.

El cilantro es considerado una de las mejores hierbas curativas. Las investigaciones han demostrado que cuando se añade cilantro a la dieta de un ratón diabético, se estimula su secreción de insulina y se reduce el nivel de azúcar en sangre. Las hojas contienen dodecenal, que es el doble de efectivo que algunos antibióticos para acabar con la salmonela. Además, se han aislado otros ocho compuestos antibióticos procedentes de la planta. El cilantro también reduce el colesterol «malo» e incrementa el «bueno». Es una buena fuente de diversos nutrientes, como potasio y calcio, y contiene altos niveles de zeaxantina, que protege la salud de los ojos y la vista.

- Regula el azúcar en sangre y ayuda a diabéticos y personas con resistencia a la insulina.
- Es antiinflamatorio y antibacteriano.
- Tiene efectos positivos en los niveles de colesterol en sangre.
- Contribuye a mejorar la salud de los ojos.

Consejos prácticos:

Utilice cilantro fresco, ya que al secarse pierde la mayor parte de su aroma y su sabor. Las hojas son muy delicadas y deben conservarse con cuidado, bien envueltas, o bien utilice hojas de una planta de cultivo propio. El cilantro fresco debe añadirse a los platos cocinados, como los currys, en el último momento, ya que con la cocción pierde su aroma y su sabor.

¿SABÍA QUE...?

Las hojas de cilantro fresco se parecen mucho al perejil, ya que ambos pertenecen a la misma familia, las umbelíferas.

VALOR NUTRITIVO DE 15 G DE CILANTRO

Kcal	3
Grasas totales	Inapreciables
Proteínas	0,3 g
Carbohidratos	0,5 g
Fibra	0,4 g
Folato	9 mcg
Potasio	78 mg
Calcio	10 mg
Hierro	0,3 mg
Betacaroteno	590 mcg
Luteína/zeaxantina	130 mcg

Verduras con hierbas aromáticas y aceitunas

4 PERSONAS   (v) (D) (E) (N)

225 g de hojas de espinacas
  tiernas frescas
un puñado de hojas de apio
3 cucharadas de aceite de oliva
2-3 dientes de ajo majados
1 cucharadita de semillas de
  comino
6-8 aceitunas negras sin hueso
  (carozo) y bien picadas
1 puñado grande de hojas de
  perejil bien picadas
1 puñado grande de hojas de
  cilantro bien picadas
1 cucharadita de pimentón dulce
el zumo (jugo) de ½ limón
sal y pimienta
pan tostado o pan de pueblo y
  aceitunas negras, para
  acompañar

Preparación

1 Cueza al vapor las espinacas y las hojas de apio hasta que estén
   tiernas. Enfríelas bajo el agua del grifo, escúrralas bien y estrújelas
   para eliminar el exceso de agua. Ponga las hojas hervidas sobre una
   tabla de cocina y píquelas.

2 Caliente 2 cucharadas de aceite en un tajín o en una cacerola de
   fondo grueso. Añada el ajo y las semillas de comino, y dórelos a
   fuego medio 1 o 2 minutos hasta que desprendan un aroma a
   nueces. Agregue las aceitunas, el perejil, el cilantro y el pimentón.

3 Incorpore las espinacas y el apio picados, y deje cocer a fuego lento,
   removiendo de vez en cuando, durante 10 minutos, hasta que la
   mezcla esté homogénea. Salpimiente al gusto y deje enfriar.

4 Ponga la mezcla en un bol y agregue el resto del aceite y el zumo
   de limón. Sírvala con pan tostado o pan de pueblo y aceitunas.

79

TOMILLO

Pese a su pequeño tamaño tiene enormes propiedades curativas y es una de las hierbas aromáticas con mayores propiedades antioxidantes.

Las hojas perennes del tomillo tienen un sabor potente y aromático, y propiedades antioxidantes debido a los aceites volátiles y los compuestos vegetales que contienen. El más importante de ellos es el timol. Las investigaciones han demostrado que este aceite potencia los efectos de los saludables ácidos grasos omega-3 en el organismo, como por ejemplo el DHA omega-3 que se encuentra en las grasas del pescado, importante para mantener sana la función cerebral. Los aceites del tomillo tienen grandes propiedades antibacterianas y pueden protegernos contra bacterias tóxicas para los alimentos como *E.coli*, *bacillus* y *staphylococcus*. También son ricos en flavonoides, que nos protegen contra las dolencias asociadas al envejecimiento, y son una buena fuente de vitamina C y hierro.

- Potencia la acción de las grasas omega-3 en el organismo.
- Puede ayudar a potenciar la capacidad cerebral.
- Es un gran antiséptico y antibiótico.
- Es rico en antioxidantes flavonoides, vitamina C y hierro.

¿SABÍA QUE...?

El aceite de tomillo se usa desde la Edad Media por sus propiedades antisépticas y actualmente los herboristas suelen recomendarlo para tratar la bronquitis o hacer enjuagues bucales.

VALOR NUTRITIVO DE 15 G DE TOMILLO

Kcal	15
Grasas totales	0,2 g
Proteínas	0,8 g
Carbohidratos	3,6 g
Fibra	2,1 g
Vitamina C	24 mg
Calcio	61 mg
Potasio	91 mg
Hierro	2,6 mg
Zinc	0,3 mg
Betacaroteno	428 mcg

Consejos prácticos:
Los tallos frescos pueden atarse con hojas de albahaca y perejil para preparar un sencillo bouquet garni para estofados y sopas de pescado. Añada hojas de tomillo fresco, menta y perejil a una tortilla francesa para darle sabor y aroma. Rellene un pollo asado con tomillo o tomillo de limón.

Aceite de tomillo, romero y limón

1 TAZA   (v) (D) (E) (N)

10-15 ramitas de tomillo fresco
   (cada una de unos 13 cm de
   longitud)
5 ramitas de romero fresco (cada
   una de unos 13 cm do longitud)
la cáscara de 2 limones
250 ml de aceite de colza

Preparación

1 Precaliente el horno a 150 °C. Desprenda las hojas de las ramitas
   de tomillo y romero. Corte la cáscara de limón en tiras.

2 Ponga el aceite en una bandeja refractaria y agregue las hojas
   y la cáscara de limón. Coloque la fuente en el centro del horno y
   déjelo hacerse 1 hora y media o 2 horas.

3 Si dispone de un termómetro digital, compruebe la temperatura del
   aceite. Al sacarlo del horno debería de estar a 120 °C. Deje enfriar
   el aliño por lo menos 30 minutos. Conserve el aceite en el frigorífico
   tal cual, o páselo por un colador forrado con estopilla y enfríelo en el
   frigorífico. Sírvalo con rebanadas de pan de pueblo.

80

SEMILLAS DE HINOJO

Las semillas de hinojo, de sabor anisado, disminuyen el apetito, por lo que son adecuadas para quienes están a dieta. También calma las molestias estomacales.

Las semillas de hinojo proceden tanto de la hierba como del bulbo homónimos. Siempre se ha creído que ayudan a perder peso porque se dice que reducen el apetito al tomarlas en forma de infusión. Masticarlas es un remedio contra el mal aliento. Para las mujeres, las semillas de hinojo son útiles durante la lactancia, ya que contienen compuestos que imitan a los estrógenos y, por consiguiente, estimulan la producción de leche. Como infusión, pueden tratar la flatulencia, los cólicos de los bebés y los retortijones de estómago. Sin embargo, debe evitarse su consumo durante el embarazo, ya que pueden sobreestimular el útero. Las semillas de hinojo pueden aliviar los síntomas de la menopausia.

- Pueden ayudar a controlar el apetito.
- Son un remedio para la halitosis.
- Ayudan a la digestión y alivian flatulencias y cólicos.
- Estimulan la producción de leche durante la lactancia.

Consejos prácticos:
Para preparar una infusión de hinojo, macere una cucharada de semillas en agua hirviendo 5 minutos y cuélela. Las semillas de hinojo son deliciosas con la carne de cerdo. Su sabor también va especialmente bien con el pescado, y puede añadirse poniendo semillas machacadas, aceite de oliva y tomates picados sobre un pescado blanco antes de hornearlo. Aporte sabor adicional a la ensalada de patata con semillas de hinojo machacadas.

VALOR NUTRITIVO DE 15 G DE SEMILLAS DE HINOJO

Kcal	20
Grasas totales	0,9 g
Proteínas	0,9 g
Carbohidratos	3 g
Fibra	2,3 g
Calcio	69 mg
Potasio	98 mg
Magnesio	22 mg
Hierro	1 mg

Brochetas de pescado

8 BROCHETAS **D** **N**

una pizca de hebras de azafrán
machacadas

1 cucharada de leche caliente

85 g de yogur (yoghurt) natural bajo
en grasas

1 cucharada de ajo triturado

1 cucharada de jengibre triturado

½ cucharadita de sal (opcional)

½ cucharadita de azúcar

el zumo (jugo) de ½ limón

½ -1 cucharadita de guindilla (chile)
en polvo

½ cucharadita de garam masala

1 cucharadita de semillas de hinojo
molidas

2 cucharaditas de harina de
garbanzo

750 g de filetes de salmón sin piel y
cortados en dados de 5 cm

3 cucharadas de aceite de oliva, y
un poco más para untar

rodajas de tomate y de pepino,
para acompañar

cuñas de limón, para decorar

Preparación

1 Sumerja el azafrán machacado en leche caliente 10 minutos.

2 Ponga todos los demás ingredientes, excepto el pescado y el aceite, en un bol y bátalos con un tenedor o un batidor manual hasta obtener una mezcla homogénea. Incorpore el azafrán y la leche, mezcle bien y agregue los dados de pescado. Con una cuchara metálica, mezcle despacio hasta que el pescado quede recubierto por el adobo. Cúbralo y déjelo macerar en el frigorífico 2 horas. Póngalo de nuevo a temperatura ambiente antes de cocinar.

3 Precaliente el grill del horno al máximo. Unte con aceite una rejilla de horno y 8 pinchos de metal. Forre la bandeja de horno con papel de aluminio. Ensarte el pescado en los pinchos, dejando un poco de espacio entre cada trozo. Ponga los pinchos sobre la rejilla y colóquelos a 10 cm del

grill durante 3 minutos. Unte las brochetas con la mitad de las 3 cucharadas de aceite y hágalos 1 minuto. Gírelas y aliñe el pescado con el resto del adobo. Deje asar 3 minutos. Úntelo de nuevo con el resto del aceite y áselo otros 2 minutos.

4 Sáquelo del horno y déjelo reposar 5 minutos. Acompáñelo con tomate y pepino, y sírvalo con cuñas de limón.

81

GUINDILLA

Las guindillas tienen mucho sabor y poder nutritivo, y son una de las especias más sanas.

El picante que las guindillas aportan a los platos procede de un compuesto llamado capsaicina, que alivia el dolor y la inflamación asociados a la artritis. Al parecer, la capsaicina también bloquea la producción de células cancerígenas en el cáncer de próstata y actúa como anticoagulante que protege contra los trombos causantes de los infartos y las apoplejías. Las guindillas rojas también contienen altos niveles de carotenos. El consumo de guindilla también reduce la cantidad de insulina necesaria para rebajar el azúcar en sangre tras una comida y, por tanto, puede ayudar a los diabéticos y a las personas con resistencia a la insulina. También puede aumentar ligeramente el índice metabólico, lo cual ayuda a perder peso.

- Contiene capsaicina, sustancia que alivia el dolor y la inflamación asociados a la artritis.
- Es un fuerte antioxidante que ayuda a combatir los efectos de las enfermedades asociadas al envejecimiento.
- Ayuda a reducir el colesterol «malo» y el riesgo de trombosis.
- Es rica en vitamina C y carotenos, que ayudan a potenciar el sistema inmunitario.

Consejos prácticos:
Hay cientos de tipos de guindilla de diversas formas, colores y grados de picor. No se frote los ojos al preparar las guindillas. Puede utilizar guantes al manipularlas. Las guindillas en polvo deben conservarse en un tarro hermético en un lugar oscuro.

¿SABÍA QUE...?
Aplicadas de manera tópica, las guindillas mejoran la psoriasis y el herpes zóster.

VALOR NUTRITIVO DE 30 G DE GUINDILLA

Kcal	12
Grasas totales	Inapreciables
Proteínas	0,5 g
Carbohidratos	2,6 g
Fibra	0,4 g
Folato	0,4 g
Vitamina C	43 mg
Niacina	0,4 mg
Potasio	97 mg
Hierro	0,3 mg
Betacaroteno	160 mcg
Luteína/zeaxantina	213 mcg

Gambas con leche de coco, guindilla y curry

4 PERSONAS　　Ⓓ Ⓔ Ⓝ Ⓡ

4 cucharadas de aceite de girasol
　o de oliva

½ cucharadita de semillas de
　mostaza negra o marrón

½ cucharadita de semillas de
　fenogreco

1 cebolla grande bien picada

2 cucharaditas de ajo triturado

2 cucharadas de jengibre triturado

1-2 guindillas (chiles) verdes
　frescas sin pepitas y picadas

1 cucharada de cilantro molido

½ cucharadita de cúrcuma molida

½ cucharadita de guindilla (chile) en
　polvo

1 cucharadita de sal, o al gusto

250 ml de leche de coco baja en
　grasas envasada

450 g de gambas (langostinos)
　grandes peladas
　(descongeladas y escurridas si
　son congeladas)

1 cucharada de zumo (jugo) de
　tamarindo o el zumo (jugo) de ½
　lima

½ cucharadita de pimienta blanca
　machacada

10-12 hojas de curry frescas o
　secas

Preparación

1　Caliente 3 cucharadas de aceite en una cacerola mediana a fuego medio-vivo. Cuando esté caliente, sin llegar a humear, añada las semillas de mostaza, seguidas por las de fenogreco y la cebolla. Rehóguelas, removiendo con frecuencia, 5 o 6 minutos hasta que la cebolla esté tierna pero no dorada. Añada el ajo y el jengibre triturados, y las guindillas, y rehogue todo, removiendo con frecuencia, otros 5 o 6 minutos hasta que la cebolla esté ligeramente dorada.

2　Añada el cilantro, la cúrcuma y la guindilla en polvo y rehóguelos, removiendo, 1 minuto. Agregue la sal y la leche de coco, seguidos por las gambas y el zumo de tamarindo. Lleve poco a poco a ebullición y deje cocer, removiendo de vez en cuando, 3 o 4 minutos.

3　Mientras, caliente la cucharada de aceite restante en una cazuela pequeña a fuego medio. Incorpore la pimienta y las hojas de curry, y deje cocer unos 20 o 25 segundos, y añada el aceite aromático a la mezcla de gambas. Retire la cazuela del fuego y sírvalo inmediatamente.

82 CANELA

La dulce canela es una especia antiinflamatoria y antibacteriana que ayuda a aliviar la hinchazón y las quemaduras solares, y protege contra las apoplejías.

La canela contiene varios aceites volátiles y compuestos como el aldehído cinámico, el acetato de canela y el alcohol de canela, que tienen diversas propiedades beneficiosas. El aldehído cinámico tiene acción anticoagulante, lo que significa que ayuda a proteger contra las apoplejías, y también es antiinflamatorio, por lo que alivia los síntomas de la artritis y el asma. La especia es buena para la digestión, ya que alivia la hinchazón y las flatulencias, y puede reducir las molestias de las quemaduras solares. La canela tiene acción antibacteriana y es capaz de neutralizar los hongos de la levadura, la cándida y las bacterias que provocan intoxicaciones alimenticias. Un estudio sostiene que la canela reduce los azúcares y el colesterol en sangre.

- Ayuda a combatir la indigestión y la hinchazón.
- Es antibacteriana y antifúngica.
- Ayuda a prevenir la formación de trombos.
- Puede reducir el colesterol «malo» y los azúcares en sangre.

Consejos prácticos:

La canela en rama con corteza conserva su aroma y sabor un año, mientras que la especia seca molida durará unos seis meses. Puede saber si la canela molida es fresca oliéndola; si ha perdido su aroma, deséchela. Se puede añadir canela en rama a la compota de manzana o de pera, y al vino caliente con especias. La canela molida es un buen complemento para el curry.

¿SABÍA QUE...?

La auténtica canela es la corteza interior de un árbol de la familia del laurel oriundo de Sri Lanka, y la casia es otra variedad oriunda de China. Ambas son fáciles de encontrar, pero no siempre se sabe cuál se está comprando.

VALOR NUTRITIVO DE 15 G DE CANELA

Kcal	18
Grasas totales	Inapreciables
Proteínas	Inapreciables
Carbohidratos	5,5 g
Fibra	3,7 g
Folato	287 mcg
Potasio	34 mg
Calcio	84 mg
Hierro	2,6 mg

Naranjas asadas con canela

8 PERSONAS (V) (D) (E) (N) (R)

4 naranjas grandes

1 cucharadita de canela molida

1 cucharada de azúcar moreno
(azúcar negra) sin procesar

Preparación

1 Precaliente el grill del horno al máximo. Corte las naranjas por la mitad y quite las pepitas. Con un cuchillo afilado, separe la pulpa de la piel. Realice unos cortes transversales para formar cuñas que puedan sacarse luego fácilmente con una cuchara.

2 Ponga las medias naranjas con la parte cortada hacia arriba en una fuente refractaria. Mezcle la canela y el azúcar en un bol pequeño y espolvoréelos sobre las medias naranjas.

3 Áselas bajo el grill precalentado entre 3 y 5 minutos o hasta que el azúcar se haya caramelizado, esté dorado y burbujee. Sírvalas inmediatamente.

83

COMINO

Con su acción antiséptica, el comino alivia el dolor de garganta y ayuda al buen funcionamiento del sistema digestivo.

Las pequeñas semillas de comino, de color marrón, se recogen de una hierba perteneciente a la familia del perejil. Su sabor es cálido y especiado, pero no demasiado picante. Se ha utilizado desde la Antigüedad (los romanos lo usaban como aperitivo y digestivo). Las investigaciones han demostrado que el comino estimula la secreción de las enzimas pancreáticas necesarias para una digestión eficiente y la absorción de los nutrientes. Actualmente se está investigando el comino por sus propiedades antioxidantes y anticancerígenas. Las semillas son ricas en hierro. El comino es antiséptico, así que una infusión de sus semillas con miel es una bebida ideal para calmar el dolor de garganta.

• Es bueno para la digestión.
• Puede ayudar a prevenir distintos tipos de cáncer.
• Posee propiedades antisépticas.
• Es rico en hierro, que ayuda a mantener la sangre sana.

Consejos prácticos:

Compre semillas enteras, ya que conservan su aroma durante más tiempo que el comino molido. Todas las especias secas se conservan mejor en recipientes herméticos y en un lugar fresco, seco y oscuro. Utilice recipientes opacos para conservar especias en estantes, ya que se estropean rápidamente con la luz. Añada semillas de comino ligeramente molidas al arroz integral, con fruta seca picada y nueces para obtener una deliciosa ensalada.
El comino también va bien con las lentejas y los garbanzos.

¿SABÍA QUE...?

El comino es oriundo de Oriente Próximo pero lleva miles de años cultivándose en India y China, y es uno de los ingredientes principales de las mezclas de curry.

VALOR NUTRITIVO DE 15 G DE SEMILLAS DE COMINO

Kcal	23
Grasas totales	1 g
Proteínas	1 g
Carbohidratos	2,6 g
Fibra	0,6 g
Calcio	56 mg
Magnesio	22 mg
Potasio	107 mg
Hierro	4 mg

Sopa de zanahoria y comino

1-2 PERSONAS

*1 zanahoria mediana-grande
   pelada y bien picada*
1 diente de ajo pequeño picado
*1 chalote (echalote)
   mediano-grande bien picado*
1 tomate maduro pelado y picado
½ cucharadita de comino molido
200 ml de caldo de verduras
1 bouquet garni
2 cucharaditas de jerez seco
pimienta
*1 cucharada de yogur (yoghurt)
   griego bajo en grasas y una
   pizca de comino para
   acompañar*

Preparación

1 Ponga todos los ingredientes excepto el jerez y el yogur en una
   cacerola con tapa. Lleve a ebullición a fuego vivo, bájelo y déjelo
   cocer lentamente durante 30 minutos o hasta que las verduras
   estén tiernas. Retire la cacerola del fuego y déjelo enfriar un poco,
   Saque el bouquet garni.

2 Pase la sopa por la batidora hasta que quede homogénea.
   Póngala de nuevo en la cacerola, agregue el jerez y caliente de
   nuevo. Pruebe y, si es necesario, rectifique de sal y pimienta. Sírvala
   en boles calientes con una espiral de yogur y una pizca de comino.

84

JENGIBRE

Los compuestos vegetales del jengibre fresco tienen una potente acción anticancerígena, son antiinflamatorios, pueden calmar las náuseas y ayudar a la digestión.

Durante miles de años el jengibre se ha considerado un alimento sano y las investigaciones recientes lo han confirmado. Sus principales compuestos activos son los terpenos y los jingeroles, que tienen propiedades anticancerígenas y destruyen las células de los cánceres de colon, ovarios y recto. Los jingeroles también tienen una potente acción antiinflamatoria y se ha demostrado que el jengibre alivia el dolor y la hinchazón hasta en el 75 % de las personas con artritis, además de mejorar la movilidad. También puede aliviar la tensión de la migraña. El jengibre se utiliza desde hace mucho tiempo como remedio para las náuseas y para ayudar a la digestión, ya que relaja los intestinos y ayuda a eliminar las flatulencias.

• Es tan eficaz como los medicamentos para combatir los mareos causados por el movimiento sin somnolencia.
• Alivia el dolor de la artritis.
• Ayuda a la digestión.

Consejos prácticos:
Procure comprar jengibre fresco y no molido o en conserva, ya que contiene los niveles más altos de compuestos beneficiosos. El jengibre fresco puede conservarse en el frigorífico pelado, picado o rallado, como se prefiera. Elabore una bebida relajante mezclando jengibre recién rallado, zumo de limón, miel y agua caliente.

¿SABÍA QUE...?

El jengibre es un tipo de raíz conocida como rizoma que crece bajo tierra en climas tropicales.

VALOR NUTRITIVO DE 15 G DE JENGIBRE

Kcal	19
Grasas totales	0,3 g
Proteínas	0,5 g
Carbohidratos	3,8 g
Fibra	0,7 g
Vitamina B1	0,4 mg
Magnesio	10 mg
Potasio	73 mg
Hierro	0,6 mg

Reconstituyente de zanahoria y jengibre

2 PERSONAS (V) (D) (E) (N) (R)

250 ml de zumo (jugo) de zanahoria

4 tomates pelados, sin pepitas
  y troceados

1 cucharada de zumo (jugo) de
  limón

25 g de perejil fresco

1 cucharada de jengibre fresco
  rallado

6 cubitos de hielo

125 ml de agua

perejil fresco picado, para decorar

Preparación

1 Pase por el robot de cocina el zumo de zanahoria, los tomates y el
   zumo de limón hasta que se mezclen bien.

2 Añada el perejil al vaso del robot, junto con el jengibre y los cubitos
   de hielo. Bata todo bien, vierta el agua y siga batiendo hasta
   obtener una mezcla homogénea.

3 Para servir, vierta la mezcla en vasos y decore con perejil fresco
   picado.

85

NUEZ MOSCADA

Los compuestos que contiene la nuez moscada son sedantes, anestésicos y antibacterianos. El fruto contiene monoterpenos, que previenen las cardiopatías.

La nuez moscada es, en realidad, el fruto de una planta de hoja perenne oriunda de Indonesia que ahora se cultiva en varios países. La especia se elabora a partir de las pepitas de este fruto. El fruto contiene los compuestos miristicina y elemicina, que son ligeramente sedantes y anestésicos. También contiene monoterpenos, que, según se cree, tienen propiedades anticoagulantes y ayudan a prevenir las cardiopatías. La nuez moscada tiene acción antibacteriana y nos ayuda a protegernos contra diversas bacterias que envenenan los alimentos, como la *E. coli*.
La nuez moscada también se ha utilizado para tratar la enfermedad de Crohn, una dolencia inflamatoria del intestino, y se dice que el aceite esencial del fruto puede aliviar el dolor de encías.

- Es ligeramente sedante.
- Ayuda a prevenir la formación de trombos y las cardiopatías.
- Es antibacteriana.
- Puede ser antiinflamatoria.

Consejos prácticos:
Lo mejor es rallar la nuez moscada directamente. Esta especia va bien con frutas asadas, como manzanas, y con postres de leche, como el arroz con leche. También puede utilizarse en platos salados, como guisos de caza, salsas de carne y currys. Puede añadir un poco de nuez moscada a las espinacas y las zanahorias al final de la cocción.

¿SABÍA QUE...?

En grandes cantidades, la nuez moscada es alucinógena y tóxica, así que utilice poca. Una cucharadita o menos en una receta será suficiente.

VALOR NUTRITIVO DE 15 G DE NUEZ MOSCADA

Kcal	12
Grasas totales	0,8 g
Proteínas	Inapreciables
Carbohidratos	1 g
Fibra	0,5 g
Magnesio	4 mg
Potasio	8 mg
Calcio	4 mg

Magdalenas de nuez moscada y canela

12 MAGDALENAS ⓥ Ⓓ Ⓔ Ⓝ

aceite de girasol para untar (opcional)

140 g de salvado rico en fibra

250 ml de leche desnatada (descremada)

250 g de harina de trigo integral

1 cucharada de levadura

½ cucharadita de nuez moscada recién rallada

1 cucharadita de canela molida

125 g de azúcar moreno (azúcar negra) ligero

200 g de pasas

2 huevos

6 cucharadas de aceite de girasol

Preparación

1 Precaliente el horno a 200 °C. Unte con aceite un molde para 12 magdalenas o utilice 12 moldes de papel parafinado. Ponga el salvado y la leche en un bol y deje que se empape 5 minutos o hasta que esté tierno.

2 Mientras, tamice la harina, la levadura, la nuez moscada y la canela en un bol grande. Incorpore el azúcar y las pasas.

3 Bata un poco los huevos en un bol, agregue el aceite y vuelva a batir. Haga un orificio en el centro de los ingredientes secos y vierta los ingredientes líquidos batidos y el salvado. Bata despacio hasta que todo se mezcle, sin batirlo demasiado.

4 Ponga la masa en el molde para magdalenas preparado. Hornee en el horno precalentado durante unos 20 minutos, hasta que las magdalenas hayan subido, estén doradas y firmes al tacto.

5 Deje las magdalenas en el molde 5 minutos para que se enfríen un poco y sírvalas calientes o póngalas sobre una rejilla para que se enfríen.

86

CÚRCUMA

Esta cálida especia posee propiedades curativas tan potentes como las de los medicamentos modernos para luchar contra enfermedades inflamatorias como la artritis.

La cúrcuma procede de la raíz de carne naranja de una planta oriunda de Indonesia y el sur de India. Sus aceites volátiles y la curcumina, el pigmento amarillo/naranja, protegen contra enfermedades inflamatorias tanto como algunos medicamentos. Se cree que la curcumina es el compuesto más saludable que contiene la cúrcuma, y diversos estudios han demostrado que es un potente antioxidante. La cúrcuma puede ayudar a prevenir el cáncer de colon e inhibir el crecimiento de ciertos tipos de células cancerígenas, como las de los cánceres de mama y de próstata. El compuesto también reduce el colesterol «malo» e incrementa el «bueno».

- Es un potente antiinflamatorio.
- Posee propiedades anticancerígenas.
- Mejora el perfil de colesterol de la sangre.
- Puede ralentizar el avance del *alzheimer* y la esclerosis múltiple.

Consejos prácticos:

Conserve la cúrcuma molida en un recipiente hermético. Elabore su propia mezcla de curry con cuatro partes de cúrcuma, una de guindilla en polvo, una de semillas de comino y una de semillas de cilantro. Añada un poco de cúrcuma a las lentejas al cocerlas, o al yogur para obtener una salsa saludable. Saltee las verduras, como la coliflor o las judías verdes, en aceite con una pizca de cúrcuma.

¿SABÍA QUE...?

La cúrcuma se llamaba azafrán indio debido a su color amarillo intenso, y se ha utilizado a lo largo de la historia como tinte textil además de como especia. Por ello, resulta difícil eliminar sus manchas de la ropa.

VALOR NUTRITIVO DE 15 G DE CÚRCUMA

Kcal	24
Grasas totales	0,7 g
Proteínas	0,5 g
Carbohidratos	4,4 g
Fibra	1,4 g
Folato	225 mcg
Magnesio	13 mg
Potasio	172 mg
Hierro	2,8 mg

Sopa de yogur con cúrcuma

4-6 PERSONAS (V) (D) (N) (R)

85 g de harina de guisante (harina
  de porotos)
1 cucharadita de cúrcuma molida
¼ cucharadita de guindilla (chile) en
  polvo
½ cucharadita de sal, al gusto
450 g de yogur (yoghurt) natural
  bajo en grasas
2 cucharadas de aceite de
  cacahuete (aceite de maní)
750 ml de agua

Para acompañar

½ cucharada de aceite
  de cacahuete (aceite de maní)
¾ cucharadita de semillas
  de comino
½ cucharadita de semillas
  de mostaza negra
½ cucharadita de semillas
  de fenogreco
4-6 guindillas (chiles) rojas frescas,
  en función del número de
  comensales

Preparación

1 Mezcle la harina de guisante, la cúrcuma, la guindilla en polvo y la
  sal en un bol grande. Con un batidor manual o un tenedor, bata el
  yogur hasta que no queden grumos.

2 Caliente el aceite en una cacerola de fondo grueso a fuego
  medio-vivo. Incorpore la mezcla de yogur y el agua, sin dejar de
  remover. Lleve a ebullición, baje el fuego al mínimo y deje cocer,
  removiendo con frecuencia, durante 8 minutos o hasta que la sopa
  se espese ligeramente y ya no sepa «a crudo».

3 Caliente el aceite del acompañamiento en una sartén pequeña.
  Agregue las semillas de comino, mostaza y fenogreco, y muévalas
  hasta que empiecen a saltar y crepitar. Añada las guindillas, retire
  la sartén del horno, y saltéelas unos 30 segundos o hasta que las
  guindillas se ampollen (si son frescas, las guindillas pueden reventar
  y «saltar», así que apártese). Vierta la sopa en boles calientes,
  incorpore las especias fritas y un chorrito de aceite, y sírvala.

6

FRUTOS SECOS, SEMILLAS Y ACEITES

Ricos en proteínas, grasas esenciales y minerales,
los frutos secos, las semillas y los aceites son parte
fundamental de cualquier dieta. Sustituya aceites
sin nutrientes por alternativas más sanas, y coma
frutos secos y semillas como aperitivo, en un muesli
o añádalos a un salteado picante.

(V) Adecuado para vegetarianos
(D) Ideal para personas a dieta
(E) Adecuado para embarazadas
(N) Adecuado para niños mayores de 5 años
(R) Rápido de preparar y cocinar

87 CACAHUETES

Ricos en antioxidantes y vitamina E, los cacahuetes pueden mejorar los niveles de colesterol y prevenir las apoplejías, las cardiopatías y el deterioro cognitivo.

Las investigaciones han demostrado que los cacahuetes tienen tantos antioxidantes como las moras y las fresas. Son ricos en polifenoles antioxidantes, entre ellos el ácido cumárico, que ayuda a diluir la sangre, y el resveratrol, que protege contra el endurecimiento de las arterias. Tienen un alto contenido en vitamina E, un antioxidante vinculado a la salud del corazón y las arterias, la capacidad cerebral y la protección contra las apoplejías, los ataques cardiacos y el cáncer. Los cacahuetes contienen principalmente grasas monoinsaturadas, que regulan mejor los niveles de colesterol en sangre que las poliinsaturadas.

- Son ricos en antioxidantes, que protegen contra las cardiopatías.
- Poseen un alto contenido en aminoácidos, que mejoran el estado de ánimo y la función cerebral.
- Contienen fitosteroles, que ayudan a prevenir el cáncer de colon.
- Son ricos en grasas monoinsaturadas, relacionadas con la protección contra las cardiopatías.

Consejos prácticos:

Lo mejor es comprar cacahuetes con cáscara o, al menos, con piel, ya que se conservan más tiempo. Compre cacahuetes sin sal y consérvelos en el frigorífico. Puede elaborar mantequilla de cacahuete casera mezclando mantequilla con un poco de aceite de cacahuete hasta que su consistencia permita untarla.

¿SABÍA QUE...?

En realidad, los cacahuetes no son frutos secos, sino que pertenecen a la familia de las legumbres, como los guisantes y las alubias.

VALOR NUTRITIVO DE 30 G DE CACAHUETES PELADOS

Kcal	170
Grasas totales	14,7 g
Proteínas	7,7 g
Carbohidratos	4,8 g
Fibra	2,5 g
Niacina	3,6 mg
Folato	72 mcg
Vitamina E	2,5 mg
Calcio	28 mg
Potasio	212 mg
Magnesio	50 mg
Hierro	1,4 mg
Zinc	1 mg

Pollo picante con cacahuetes

4 PERSONAS (D) (N)

2 cucharadas de salsa de soja
   (soya)

1 cucharadita de guindilla (chile)
   en polvo, o al gusto

350 g de pechugas de pollo,
   sin piel y troceadas

5 cucharadas de aceite de
   cacahuete (aceite de maní),
   y un poco más si es necesario

1 diente de ajo bien picado

1 cucharadita de jengibre fresco
   rallado

3 chalotes (echalotes) en rodajas
   finas

225 g de zanahorias, peladas
   y en rodajas finas

1 cucharadita de vinagre de vino
   blanco

una pizca de azúcar

200 g de cacahuetes (maníes)
   tostados

ramitas de cilantro fresco,
   para decorar

arroz hervido, para acompañar

Preparación

1 Mezcle en un bol la salsa de soja y la guindilla. Añada los trozos
   de pollo y remueva para que se impregnen. Cubra el bol con film
   transparente y deje adobar 30 minutos en el frigorífico.

2 Caliente 4 cucharadas de aceite en una cacerola. Agregue el pollo
   y saltéelo a fuego medio-alto hasta que esté dorado y bien hecho.
   Saque el pollo de la cacerola y manténgalo caliente.

3 Si es necesario, añada un poco más de aceite. Incorpore el ajo, el
   jengibre, los chalotes y las zanahorias, y saltéelo todo 2 o 3 minutos.

4 Ponga el pollo de nuevo en la cacerola y saltéelo hasta que esté
   caliente. Añada el vinagre, el azúcar y los cacahuetes, remueva bien, y
   riéguelo con 1 cucharada de aceite. Decore con las ramitas de cilantro
   y sírvalo inmediatamente con arroz hervido como acompañamiento.

88

ANACARDOS

Los anacardos son ricos en grasas monoinsaturadas y protegen el corazón. Sus minerales ayudan a mantener unos huesos fuertes y un sistema inmunitario sano.

Los anacardos tienen muchas menos grasas totales que todos los demás frutos secos y son un buen aperitivo para quienes estén a dieta. La mayor parte de esa grasa es ácido oleico monoinsaturado, que es beneficioso para la salud, ya que protege contra los problemas cardiacos y arteriales. Los anacardos son ricos en minerales importantes, como el magnesio para tener unos huesos duros y un corazón sano, el zinc, que potencia el sistema inmunitario, y el hierro, que aporta energía y mantiene la sangre sana. Las personas que comen frutos secos habitualmente tienen menos probabilidades de morir a causa de enfermedades cardiovasculares que quienes no los comen nunca.

- Se asocia el consumo regular de frutos secos a un riesgo sensiblemente menor de muerte por cardiopatías.
- Son una buena fuente de grasas monoinsaturadas, asociadas a la protección contra diversas enfermedades.
- Son una buena fuente de vitaminas B, que potencia la energía y la capacidad cerebral.
- Son ricos en zinc, que refuerza el sistema inmunitario.

Consejos prácticos:
Puede elaborar mantequilla de anacardos del mismo modo que la de cacahuete. Mezcle los anacardos con orejones de albaricoque para lograr un aperitivo sano y rico en minerales. Agregue anacardos a un salteado de verduras para preparar un plato sano.

¿SABÍA QUE...?

Los anacardos que se venden tostados han perdido los beneficios de sus aceites insaturados, que se oxidan a temperaturas elevadas, pero puede asar los anacardos crudos en casa en el horno a baja potencia 20 minutos.

VALOR NUTRITIVO DE 30 G DE ANACARDOS

Kcal	166
Grasas totales	13 g
Proteínas	5,5 g
Carbohidratos	9 g
Fibra	1 g
Vitamina B1	0,1 mg
Niacina	0,3 mg
Vitamina B6	0,12 mg
Potasio	198 mg
Magnesio	88 mg
Hierro	2 mg
Zinc	1,7 mg
Selenio	6 mcg

Verduras agridulces con anacardos

4 PERSONAS   Ⓥ Ⓓ Ⓝ Ⓡ

1 cucharada de aceite de
cacahuete (aceite de maní)

1 cucharadita de aceite de guindilla
(aceite de chile)

2 cebollas cortada en aros

2 zanahorias peladas y en rodajas
finas

2 calabacines (zapatillos, zucchinis)
en rodajas finas

115 g de brócoli cortado en
cabezuelas (flores)

115 g de champiñones comunes
cortados en láminas

115 g de bok choy pequeño
cortado por la mitad

1 cucharada colmada de azúcar
moreno (azúcar negra) ligero

2 cucharadas de salsa de soja
(soya) clara

1 cucharada de vinagre de arroz

85 g de anacardos (castañas de
Cajú) asados

Preparación

1 Caliente los dos aceites en una sartén grande. Añada la cebolla
y rehóguela a fuego medio 1 o 2 minutos.

2 Añada las zanahorias, el calabacín y el brócoli, y rehóguelos
2 o 3 minutos. Incorpore los champiñones, el bok choy, el azúcar,
la salsa de soja y el vinagre, y rehóguelo todo 1 o 2 minutos.

3 Esparza los anacardos asados sobre el salteado y sirva al momento.

89

ALMENDRAS

La vitamina E de las almendras protege contra el cáncer, las cardiopatías, los ataques al corazón, las apoplejías, la artritis y la infertilidad.

Las almendras son las semillas de la drupa del almendro y están relacionadas con los melocotones y las ciruelas. Son ricas en grasas monoinsaturadas y, debido a su alto contenido en grasas, el cuerpo tarda mucho en digerirlas. Así se consigue mantener el hambre a raya y ayudan a controlar el peso. Las almendras tienen mucha vitamina E, que protege contra el cáncer y las enfermedades cardiovasculares, ayuda a reducir el dolor de la osteoartritis y mantiene la piel sana. La vitamina E potencia la fertilidad masculina. Tienen más calcio que cualquier otro alimento vegetal y, por tanto, son un ingrediente ideal para los vegetarianos estrictos y para quienes no comen productos lácteos.

- Constituyen un tentempié saciante y mantiene constantes los niveles de azúcar.
- Son ricas en vitamina E, antioxidante.
- Son una muy buena fuente de calcio.
- Tienen un alto contenido en grasas monoinsaturadas, que ayudan a mantener el corazón y las arterias sanos.

Consejos prácticos:

Compre almendras enteras con cáscara o, por lo menos, con la piel marrón, ya que así se conservan mejor que peladas, picadas o en láminas. Consérvelas en un lugar fresco y seco (el frigorífico es ideal). Las almendras combinan bien con los albaricoques, los melocotones, el pollo, el arroz y los pimientos rojos.

¿SABÍA QUE...?

Existe un tipo de almendra, conocida como almendra amarga, que no es comestible, ya que contiene una forma de cianuro venenoso. No puede comprarse en las tiendas.

VALOR NUTRITIVO DE 30 G DE ALMENDRAS

Kcal	174
Grasas totales	15 g
Proteínas	6,6 g
Carbohidratos	6 g
Fibra	3 g
Vitamina E	7,4 mg
Niacina	1 mg
Calcio	65 mg
Potasio	206 mg
Magnesio	43 mg
Hierro	1 mg
Zinc	1 mcg

Batido de almendras y plátano

3-4 PERSONAS (v) (e) (n) (r)

200 g de almendras peladas
   enteras
375 ml de leche sin lactosa
2 plátanos (bananas) maduros
   cortados por la mitad
1 cucharadita de extracto de
   vainilla natural
canela molida para espolvorear

Preparación

1 Pase las almendras por el robot de cocina y tritúrelas muy bien.
Agregue la leche, los plátanos y el extracto de vainilla, y bata hasta
obtener una pasta homogénea y cremosa.

2 Vierta la mezcla en vasos altos, espolvoree la canela y sirvala.

90

NUECES DEL BRASIL

Las nueces del Brasil son uno de los alimentos más ricos en selenio mineral, que es antioxidante y anticancerígeno. También son una buena fuente de calcio y magnesio.

Las nueces del Brasil tienen un contenido total en grasas muy alto. La mayor parte son monoinsaturadas, pero también hay bastantes poliinsaturadas, y son ricas en ácido linoleico omega-6, una de las grasas esenciales. Al cocinarlas a temperaturas elevadas, estas grasas se oxidan y dejan de ser sanas, de modo que conviene comer las nueces del Brasil crudas. Son extraordinarias por su contenido extremadamente alto en selenio mineral y, por término medio, una o dos de ellas aportan la cantidad diaria recomendada. El selenio protege contra las enfermedades asociadas al envejecimiento. También son una buena fuente de magnesio y calcio.

- Son extremadamente ricas en selenio, un mineral poco habitual en las dietas modernas.
- Son antioxidantes, antienvejecimiento y anticancerígenas.
- Su alto contenido en magnesio protege el corazón y los huesos.
- Son una buena fuente de vitamina E, que mantiene la piel sana y facilita la cicatrización.

Consejos prácticos:

Puede conservar las nueces del Brasil peladas en un lugar fresco, seco y oscuro hasta seis meses. Las cáscaras son muy duras, así que compre un buen cascanueces. Las nueces del Brasil peladas deben conservarse en la nevera y consumirse en unas semanas, ya que se ponen rancias muy rápido. Lo mejor es comerlas crudas como aperitivo o añadirlas al muesli del desayuno.

¿SABÍA QUE...?

En realidad, las nueces del Brasil no son frutos secos, sino semillas contenidas en un fruto duro del tamaño de un coco. Los árboles crecen silvestres en Brasil y resulta muy difícil cultivarlos.

VALOR NUTRITIVO DE 30 G DE NUECES DE BRASIL

Kcal	197
Grasas totales	19,9 g
Proteínas	4,3 g
Carbohidratos	3,7 g
Fibra	2,3 g
Vitamina E	1,7 mcg
Calcio	48 mg
Potasio	198 mg
Magnesio	113 mg
Zinc	1,2 mg
Selenio	575 mcg

Cóctel de frutos secos

1 KG APROX.   (V) (E) (N) (R)

125 g de albaricoques
  (chabacanos, damascos) secos
  picados listos para comer
125 g de arándanos secos
125 g de anacardos (castañas
  de Cajú) asados
125 g de avellanas peladas
125 g de nueces del Brasil peladas
  cortadas por la mitad
125 g de almendras tostadas
4 cucharadas de semillas de
  calabaza tostadas
4 cucharadas de semillas de girasol
4 cucharadas de piñones tostados

Preparación

1 Ponga todos los ingredientes en un recipiente hermético, cierre
la tapa y agítelo. Agítelo cada vez antes de abrirlo y ciérrelo bien
siempre. La mezcla se mantiene fresca hasta 2 semanas si se
cierra bien cada vez.

91

NUECES

Conocidas por su alto contenido en ácidos grasos omega-3, las nueces previenen cardiopatías, cánceres, artritis, dolencias de la piel y trastornos nerviosos.

A diferencia de la mayoría de los frutos secos, las nueces son más ricas en grasas poliinsaturadas que monoinsaturadas. Las grasas poliinsaturadas que contienen son principalmente grasas esenciales omega-3, en forma de ácido alfalinoleico. Una ración de 30 g aporta más de la cantidad diaria recomendada. Un consumo adecuado y equilibrado de grasas omega está asociado a la protección contra el envejecimiento, las enfermedades cardiovasculares, los cánceres, la artritis, las afecciones cutáneas y enfermedades del sistema nervioso. Para quienes no comen pescado ni aceites de pescado, es importante tomar grasas omega-3 procedentes de otras fuentes, como las nueces, las semillas de lino y la soja.

* Constituyen una buena fuente de fibra y vitaminas B.
* Son ricas en grasas omega-3 y antioxidantes.
* Son una buena fuente de diversos minerales importantes.
* Pueden reducir el colesterol «malo» y la presión sanguínea, y aumentar la elasticidad de las arterias.

Consejos prácticos:

Sus altos niveles de grasas poliinsaturadas hacen que se pongan rancias muy pronto. Cómprelas con cáscara y, si es posible, consérvelas en el frigorífico y consúmalas cuanto antes. No las compre trituradas, ya que se oxidan antes. Lo mejor es comerlas crudas como aperitivo, en muesli o con yogur y fruta.

¿SABÍA QUE...?

El tipo de nuez comestible más popular es la *Juglans regia* o nuez común. Las nueces blancas y negras también son comestibles, aunque resulta difícil cascarlas.

VALOR NUTRITIVO DE 30 G DE NUECES

Kcal	196
Grasas totales	19,5 g
Proteínas	4,5 g
Carbohidratos	4 g
Fibra	2 g
Niacina	0,3 mg
Vitamina B6	0,16 mg
Calcio	29 mg
Potasio	132 mg
Magnesio	47 mg
Hierro	0,9 mg
Zinc	0,9 mg

Pan de nueces y semillas

2 HOGAZAS GRANDES (v) (D) (E) (N)

1½ kg de harina de trigo integral

250 g de harina blanca de fuerza y
    un poco más para espolvorear

2 cucharadas de semillas de
    sésamo

2 cucharadas de pipas de girasol

2 cucharadas de semillas de
    amapola

250 g de nueces trituradas

2 cucharaditas de sal

15 g de levadura seca activa

2 cucharadas de aceite de oliva o
    de cacahuete (aceite de maní)

750 ml de agua tibia

1 cucharada de mantequilla
    (manteca) fundida o aceite,
    para untar

Preparación

1 Mezcle en un bol grande las harinas, las semillas, las nueces, la sal y la levadura. Añada el aceite y el agua, y remueva bien para obtener una masa blanda. Póngala en una superficie ligeramente enharinada y amásela bien de 5 a 7 minutos, o hasta que la pasta esté homogénea.

2 Ponga la masa de nuevo en el bol, cúbrala con un paño húmedo y déjela en un lugar caliente entre 1 hora y 1 hora y media hasta que suba o hasta que haya duplicado su tamaño. Ponga la masa en una superficie ligeramente enharinada y amásela 1 minuto más.

3 Unte bien 2 moldes de pan de 900 g con mantequilla fundida o aceite. Divida la masa por la mitad. Dé a cada porción de masa una forma tan larga como el molde y el triple de ancha. Doble cada porción de masa en tres y póngala en el molde.

4 Cúbralas y deje que suban otros 30 minutos o hasta que su altura sea superior a la del molde.

5 Precaliente el horno a 230 °C. Hornee las dos porciones de masa en el centro del horno entre 25 y 30 minutos hasta que estén doradas y las hogazas suenen a hueco al golpear las bases con los nudillos. Si los panes se doran en exceso durante la cocción, baje la temperatura a 220 °C. Póngalos en una rejilla para que se enfríen.

92 PISTACHOS

Los pistachos, de color verde, son ricos en
esteroles vegetales y fibras solubles, que
pueden reducir el colesterol «malo» y
proteger contra los cánceres.

Los pistachos se han vuelto muy comunes y constituyen un buen
complemento para una dieta sana. Son ricos en betasitosteroles,
que ayudan a reducir el colesterol «malo» de la sangre y pueden
proteger contra el cáncer. También son una buena fuente de fibra
y fibra soluble, que mejoran el perfil de colesterol de la sangre, y
ayudan a prevenir algunos cánceres y trastornos digestivos,
como el estreñimiento y el síndrome del colon irritable. Asimismo,
contienen varios minerales y vitaminas B, y son una buena fuente
de proteínas, al tiempo que contienen menos grasas que otros
frutos secos.

- Poseen un alto contenido en esteroles, que reducen el colesterol
  y protegen contra el cáncer.
- Son ricos en potasio, que reduce la presión sanguínea.
- Son ricos en fibra y fibra soluble, que ayudan al sistema digestivo
  y mejoran los niveles de colesterol.
- Controlan los niveles de azúcar en sangre y son beneficiosos para
  los diabéticos y las personas con resistencia a la insulina.

Consejos prácticos:
Un plato de pistachos constituye un aperitivo sano antes de la
cena. Resulta fácil quitarles la cáscara y puede comerse la piel
marrón que cubre los frutos, que aporta nutrientes y fibra adicionales. Agregue pistachos a una ensalada de cereales, a los cereales
del desayuno y a los rellenos.

¿SABÍA QUE...?
Los pistachos son uno de
los pocos frutos secos con
carotenos, que les dan su
característico color verde.

VALOR NUTRITIVO DE 30 G DE PISTACHOS

Kcal	167
Grasas totales	13,5 g
Proteínas	6 g
Carbohidratos	8,5 g
Fibra	3 g
Niacina	0,4 mg
Vitamina B6	0,5 mg
Calcio	32 mg
Potasio	308 mg
Magnesio	36 mg
Hierro	1,2 mg
Zinc	0,7 mg
Betacaroteno	100 mcg

Pollo con pistachos

4 PERSONAS Ⓓ

65 ml de caldo de pollo

2 cucharadas de salsa de soja (soya) clara

2 cucharadas de jerez seco

3 cucharaditas de maicena

1 clara de huevo batida

una pizca de sal

3 cucharadas de aceite de cacahuete (aceite de maní),y un poco más si es necesario

450 g de pechuga de pollo sin piel cortada en tiras

450 g de champiñones en láminas finas

1 cogollo de brócoli cortado en cabezuelas (flores)

150 g de brotes de soja (soya)

100 g de castañas de agua en conserva, escurridas y cortadas en láminas finas

250 g de pistachos y 1 cucharada adicional para decorar

arroz hervido para acompañar

Preparación

1 Mezcle en un bol el caldo de pollo, la salsa de soja, el jerez y 1 cucharadita de maizena. Resérvelo.

2 Mezcle en un bol grande la clara de huevo, la sal, 2 cucharadas de aceite y 2 cucharaditas de maicena. Añada el pollo y remueva.

3 Caliente un *wok* grande a fuego vivo 30 segundos. Agregue el resto del aceite, gire el *wok* para empapar la base y caliéntelo 30 segundos. Incorpore el pollo por tandas y saltéelo hasta que se dore.

Saque el pollo del *wok* y escúrralo.

4 Añada más aceite al *wok*, si es necesario, y saltee los champiñones; añada el brócoli y saltéelo 2 o 3 minutos.

5 Eche el pollo de nuevo en el *wok* y agregue los brotes de soja, las castañas de agua y los pistachos. Saltee todos los ingredientes. Agregue la mezcla de caldo de pollo y deje cocer hasta que se espese. Sirva sobre un lecho de arroz y decore con los pistachos reservados.

93 PIÑONES

Los piñones son una fuente de grasas omega-3, que aporta beneficios para la salud, y son ricos en vitamina E, zinc y esteroles vegetales, que reducen el colesterol.

Los piñones proceden de diversas especies de pino. Todos aportan beneficios nutricionales similares, aunque los asiáticos, que son más largos, contienen más aceite. Son ricos en grasa omega-6 poliinsaturada, pero también contienen otras grasas menos habituales, como omega-3, importantes para la salud del corazón y para preservar la capacidad cerebral. Los piñones son muy ricos en vitamina E y zinc, dos antioxidantes que protegen el corazón, refuerzan el sistema inmunitario y aumentan la fertilidad. También contienen esteroles y estanoles, compuestos que ayudan a reducir el colesterol en sangre.

¿SABÍA QUE...?

Las investigaciones demuestran que los piñones se utilizan desde el Paleolítico, periodo que finalizó hace unos 40.000 años.

- Son ricos en grasas omega-6 y contienen grasas omega-3.
- Contienen esteroles vegetales que reducen el colesterol y refuerzan el sistema inmunitario.
- Son ricos en zinc y vitamina E.
- Constituyen una buena fuente de diversos minerales y fibra.

Consejos prácticos:

Los piñones tienen un sabor rico pero delicado y un ligero dejo a resina. Tienden a ponerse rancios rápidamente, así que conviene comprarlos en pequeñas cantidades y consumirlos en pocas semanas. Los piñones combinan bien con las espinacas, los quesos fuertes, las pasas sultanas y el pescado azul. Puede elaborar un pesto de albahaca, piñones, parmesano y aceite de oliva. Si lo desea, los puede tostar ligeramente.

VALOR NUTRITIVO DE 15 G DE PIÑONES

Kcal	101
Grasas totales	10 g
Proteínas	2 g
Carbohidratos	2 g
Fibra	0,6 g
Vitamina E	1,4 mcg
Potasio	90 mg
Magnesio	38 mg
Hierro	0,8 mg
Zinc	1 mg

Cuscús de verduras y piñones tostados

4 PERSONAS ⓥ ⓓ ⓔ ⓝ

200 g de lentejas verdes secas

125 g de piñones

1 cucharada de aceite de oliva

1 cebolla cortada en dados

2 dientes de ajo majados

280 g de calabacín (zapatillo, zucchini) cortado en rodajas

250 g de tomates picados

400 g de corazones de alcachofa (alcauciles) en conserva, escurridos y cortados por la mitad a lo largo

300 g de cuscús

500 ml de caldo de verduras

3 cucharadas de hojas de albahaca fresca troceada, y un poco más para decorar

pimienta

Preparación

1 Ponga las lentejas en una cacerola llena de agua fría. Llévelas a ebullición y déjelas hervir a fuego vivo 10 minutos. Baje el fuego, tape la cacerola y déjelas cocer a fuego lento 15 minutos.

2 Mientras, caliente una sartén antiadherente a fuego medio. Añada los piñones y tuéstelos un poco, moviendo la sartén, hasta que estén dorados. Póngalos en un bol pequeño y resérvelos.

3 Caliente el aceite en una sartén antiadherente a fuego medio. Agregue la cebolla, el ajo y el calabacín, y rehóguelos, removiendo con frecuencia, hasta que estén tiernos y el calabacín esté ligeramente dorado. Incorpore los tomates y las alcachofas, y caliéntelos 5 minutos.

4 Mientras, ponga el cuscús en un bol refractario. Lleve el caldo a ebullición en una cacerola. Vierta el caldo sobre el cuscús, cúbralo y déjelo 10 minutos hasta que absorba el caldo y se ponga tierno.

5 Escurra las lentejas y agréguelas al cuscús. Incorpore la albahaca troceada y sazone bien con pimienta. Ponga el cuscús en una fuente caliente y disponga encima las verduras hervidas. Esparza los piñones, decore con las hojas de albahaca y sirva inmediatamente.

94 AVELLANAS

Especialmente ricas en potasio, las avellanas reducen la retención de líquidos y la tensión sanguínea.

Las avellanas son una buena fuente de proteínas y grasas monoinsaturadas, que reducen el colesterol «malo» en sangre e incluso incrementan ligeramente el colesterol «bueno». Tienen un alto contenido en betasitosterol, una grasa vegetal que ayuda a reducir la dilatación de la próstata y rebaja los niveles de colesterol. Las avellanas son ricas en vitamina E, un antioxidante que mantiene sanos la piel y el corazón, y refuerza el sistema inmunitario. Su alto contenido en potasio ayuda a reducir la tensión sanguínea y también es diurético. Su contenido en magnesio preserva la salud del corazón y contribuye a fortalecer los huesos.

- Son ricas en betasisteroles, que ayudan a preservar la salud de la próstata.
- Son ricas en monoinsaturados, que ayudan a mejorar los niveles de colesterol en sangre.
- Tienen un alto contenido en vitamina E, antioxidante.
- Constituye una buena fuente de fibra soluble que reduce el colesterol «malo» y es beneficioso para el sistema digestivo.

Consejos prácticos:
Las avellanas se conservan mejor que otros frutos secos, ya que contienen menos grasas y su vitamina E actúa como conservante. Cómprelas enteras, ya que las trituradas contienen menos nutrientes. Consérvelas en el frigorífico. Cómalas como aperitivo o en ensaladas, salteados, cereales para el desayuno y postres.

¿SABÍA QUE...?
De la avellana también se obtiene un sabroso aceite alimentario, excelente para ensaladas.

VALOR NUTRITIVO DE 30 G DE AVELLANAS

Kcal	188
Grasas totales	18,2 g
Proteínas	4,5 g
Carbohidratos	5 g
Fibra	2,9 g
Vitamina E	4,5 mg
Niacina	0,5 mg
Vitamina B6	0,16 mg
Folato	34 mcg
Potasio	204 mg
Magnesio	49 mg
Hierro	1,4 mg
Zinc	0,7 mg

Pan de verduras y avellanas

1 HOGAZA   Ⓥ Ⓓ Ⓔ Ⓝ

2 cucharadas de aceite de girasol
   y un poco más para untar
1 cebolla picada
1 diente de ajo bien picado
2 tallos de apio picados
1 cucharada de harina
200 ml de tomates en conserva
   escurridos
500 g de pan integral rallado fresco
2 zanahorias peladas y ralladas
200 g de avellanas tostadas
   molidas
1 cucharada de salsa de soja
   (soya) oscura
2 cucharadas de cilantro fresco
   picado
1 huevo ligeramente batido
sal y pimienta
hojas de lechuga roja y verde para
   acompañar

Preparación

1 Precaliente el horno a 180 °C. Unte y forre un molde de pan de 450 g. Caliente el aceite en una sartén de fondo grueso. Agregue la cebolla y rehóguela a fuego medio, removiendo con frecuencia, 5 minutos o hasta que esté tierna. Añada el ajo y el apio, y deje rehogar durante 5 minutos. Incorpore la harina y rehóguela, removiendo, durante 1 minuto. Incorpore poco a poco los tomates en conserva escurridos y rehogue, sin dejar de remover, hasta que la mezcla se espese. Retire la sartén del fuego.

2 Ponga en un bol el pan rallado, las zanahorias, las avellanas, la salsa de soja y el cilantro. Añada la mezcla de tomate y remueva bien. Deje enfriar un poco, agregue el huevo y salpimiente.

3 Ponga la mezcla en el molde preparado y alise la superficie.

Cúbralo con papel de aluminio y métalo en el horno precalentado 1 hora. Si lo sirve caliente, vuelque el pan en una bandeja caliente y sírvalo con lechuga. Si lo prefiere, puede dejar que el pan se enfríe antes de servirlo.

95

SEMILLAS DE SÉSAMO

Los lignanos que contienen las semillas de sésamo ayudan a reducir el colesterol «malo». Las semillas tienen propiedades antiinflamatorias y mitigan la artritis.

Las semillas de sésamo contienen dos tipos de fibras, la sesamina y la sesamolina, que pertenecen al grupo de los lignanos. Pueden reducir el colesterol «malo» y ayudan a prevenir la hipertensión, lo cual protege contra las enfermedades cardiovasculares. La sesamina es un potente antioxidante y protege el hígado. Los esteroles vegetales que contienen las semillas también reducen el colesterol. Las semillas son especialmente ricas en cobre, que puede ser útil para quienes sufren artritis, ya que se cree que tiene propiedades antiinflamatorias y reduce el dolor y la hinchazón. Las semillas de sésamo también contienen minerales como hierro, zinc, calcio y potasio en distintas cantidades.

- Constituyen una buena fuente de fibras vegetales y esteroles.
- Contienen sesamina y lignano antioxidante.
- Son ricas en hierro y zinc.
- Contienen gran cantidad de calcio.

Consejos prácticos:
Consérvalas en un recipiente hermético y en un lugar fresco, seco y oscuro. Las semillas de sésamo pueden comerse crudas o ligeramente tostadas en el horno a fuego lento. Esparza las semillas sobre verduras como brócoli o espinacas antes de servirlas, o bien añádalas a las ensaladas de cereales. El aceite de sésamo es bueno para los salteados, y el tahini, una pasta de sésamo, puede agregarse al hummus y a otros patés y salsas.

¿SABÍA QUE...?

Hay semillas de sésamo de diferentes colores, como crema claro, marrón, rojo y negro; cuanto más oscuro es el color, más fuerte tiende a ser su sabor.

VALOR NUTRITIVO DE 15 G DE SEMILLAS DE SÉSAMO

Kcal	85
Grasas totales	7,2 g
Proteínas	2,5 g
Carbohidratos	3,9 g
Fibra	2,5 g
Niacina	0,8 mg
Folato	14 mcg
Calcio	20 mg
Potasio	61 mg
Magnesio	52 mg
Hierro	1,2 mg
Zinc	1,5 mg

Salteado de tirabeques, sésamo y tofu

2-3 PERSONAS   (**V**) (**D**) (**N**) (**R**)

1 cucharada de aceite de sésamo
    tostado

2 cucharadas de aceite de
    cacahuete (aceite de maní)

200 g de setas (champiñones,
    hongos) shiitake pequeñas

2 cabezuelas de bok choy, con las
    hojas enteras y los tallos en
    rodajas

150 g de tirabeques, cortados por
    la mitad en diagonal

250 g de tofu firme cortado en
    dados

un trozo de 3 cm de jengibre
    fresco, pelado y en rodajas finas

2 dientes de ajo bien picados

1 cucharada de salsa de soja
    (soya) clara

1 cucharadita de semillas de
    sésamo

pimienta

fideos asiáticos cocidos,
    para acompañar

Preparación

1 Caliente un *wok* grande a fuego vivo 30 segundos. Añada el aceite, haga girar el *wok* para impregnar la base y caliéntelo 30 segundos. Agregue las setas, los tallos de bok choy y los tirabeques, y rehogue 1 minuto.

2 Añada el tofu, las hojas de bok choy, el jengibre, el ajo y un poco de agua y rehogue 1 o 2 minutos hasta que el bok choy se ablande.

3 Incorpore la salsa de soja, esparza las semillas de sésamo y sazone con pimienta. Sírvalo inmediatamente con los fideos cocidos.

96

SEMILLAS DE CALABAZA

Las semillas de calabaza son ricas en zinc, refuerzan el sistema inmunitario y aumentan la fertilidad. Sus esteroles protegen contra los cánceres hormonales.

Las semillas de calabaza son un aperitivo nutritivo e, incluso en pequeñas cantidades, aportan gran cantidad de minerales, especialmente zinc y hierro. El zinc es un antioxidante que refuerza el sistema inmunitario y, en el caso de los hombres, mejora la fertilidad y protege contra el cáncer y la inflamación de próstata. Su alto contenido en hierro y zinc las convierte en un alimento especialmente importante para los vegetarianos. Las semillas contienen esteroles, que ayudan a eliminar el colesterol «malo» e inhiben el desarrollo de las células de los cánceres de mama, colon y próstata. Además, las semillas de calabaza contienen algunas grasas omega-3, vitamina E, folato y magnesio, que ayudan a mantener sano el corazón.

- Son ricas en zinc, que mejora la fertilidad, refuerza el sistema inmunitario y protege contra el cáncer.
- Son ricas en hierro, que es bueno para la sangre y ayuda a combatir la fatiga.
- Mejora los niveles de colesterol de la sangre.
- Constituyen una buena fuente de nutrientes antiinflamatorios y mantienen el corazón sano.

Consejos prácticos:
Las semillas de calabaza se venden casi siempre tostadas. Añádalas a las ensaladas y el muesli, o espárzalas sobre los cereales del desayuno o el yogur. Las semillas pueden molerse y agregarse a hamburguesas de verduras, frutos secos y alubias.

¿SABÍA QUE...?

Si cultiva o compra calabazas, no deseche las semillas. Lave y seque las pipas y mézclelas con un poco de aceite de cacahuete o de oliva suave. Espárzalas sobre una lámina de papel parafinado y tuéstelas en el horno a fuego lento 20 minutos.

VALOR NUTRITIVO DE 15 G DE SEMILLAS DE CALABAZA

Kcal	81
Grasas totales	6,9 g
Proteínas	3,7 g
Carbohidratos	2,7 g
Fibra	0,6 g
Niacina	0,3 mg
Potasio	121 mg
Magnesio	80 mg
Hierro	2,2 mg
Zinc	1,1 mg

Muesli de manzana y semillas

1 KG APROX.   (v) (D) (E) (N) (R)

85 g de semillas de girasol

65 g de semillas de calabaza

200 g de avellanas troceadas

125 g de copos de trigo sarraceno

125 g de copos de arroz

125 g de copos de mijo

115 g de manzana seca no
   hidratada troceada

115 g de dátiles secos sin hueso
   troceados

Preparación

1 Caliente una sartén antiadherente a fuego medio. Añada las semillas
   y las avellanas, y tuéstelas un poco, hasta que estén doradas.
   Póngalas en un bol grande y déjelas enfriar.

2 Agregue los copos de arroz, la manzana y los dátiles al bol, y
   mézclelo todo bien. Conserve el muesli en un recipiente hermético.

97

SEMILLAS DE GIRASOL

Las semillas de girasol son ricas en varios minerales y vitamina E, y también protegen contra la inflamación y las enfermedades cardiovasculares.

Las semillas de girasol son una de las principales fuentes de aceite vegetal y contienen abundantes grasas poliinsaturadas. También son ricas en vitamina E y ayudan a protegerse de algunas enfermedades inflamatorias, como el asma y la artritis reumatoide. La vitamina E es asimismo un antioxidante que neutraliza los radicales libres que, en exceso, dañan las células del organismo y aceleran el proceso de envejecimiento. También se asocian a un menor riesgo de padecer enfermedades cardiovasculares y a la protección contra el cáncer de colon. Las semillas de girasol son ricas en esteroles vegetales, que reducen el colesterol, y en diversos minerales como hierro, magnesio y selenio.

¿SABÍA QUE...?

Las semillas de girasol son originarias de Centroamérica y Suramérica, se comen en Norteamérica desde hace unos 5.000 años y hoy se cultivan en todo el mundo por su alto contenido en aceite.

- Son ricas en el ácido linoleico omega-6, una grasa esencial.
- Tienen un contenido muy alto en vitamina E antioxidante, que aporta diversos beneficios para la salud.
- Poseen un alto contenido en esteroles vegetales, que reducen el colesterol.
- Son ricas en nutrientes y minerales.

Consejos prácticos:

El alto contenido en grasas poliinsaturadas de las semillas de girasol hace que se estropeen rápidamente y se pongan rancias si se conservan en ambientes cálidos. Los frutos secos pelados pueden congelarse y descongelarse a temperatura ambiente. Las semillas de girasol van bien con las ensaladas, el muesli y los copos de avena.

VALOR NUTRITIVO DE 15 G DE SEMILLAS DE GIRASOL

Kcal	86
Grasas totales	7,4 g
Proteínas	3,4 g
Vitamina E	5 mg
Fibra	1,6 g
Niacina	0,7 mg
Folato	34 mcg
Calcio	17 mg
Potasio	103 mg
Magnesio	53 mg
Selenio	9 mcg
Hierro	1 mg
Zinc	0,8 mg

Magdalenas de semillas de girasol

12 MAGDALENAS   (V) (D) (E) (N)

aceite vegetal para untar (opcional)
250 g de harina de trigo integral
1 cucharada de levadura
125 g de azúcar moreno (negra)
500 g de copos de avena
125 g de pasas sultanas
125 g de semillas de girasol
2 huevos
1¼ l de leche desnatada
6 cucharadas de aceite de girasol
1 cucharadita de extracto de vainilla

Preparación

1 Precaliente el horno a 200 °C. Unte con aceite un molde para 12 magdalenas o utilice 12 moldes de papel parafinado. Tamice la harina y la levadura en un bol grande, y añada el contenido del colador al bol. Añada el azúcar, la avena, las pasas y 125 g de semillas de girasol.

2 Bata un poco los huevos en un bol grande, agregue la leche, el aceite, el extracto de vainilla y bata. Haga un orificio en el centro de la mezcla de ingredientes secos y vierta los ingredientes líquidos batidos. Bata despacio para mezclarlo cuidadosamente.

3 Ponga la masa en el molde preparado. Esparza las semillas de girasol restantes por encima de las magdalenas. Hornee en el horno precalentado durante unos 20 minutos, hasta que las magdalenas hayan subido, estén doradas y firmes al tacto.

4 Deje las magdalenas en el molde 5 minutos para que se enfríen un poco y sírvalas calientes o bien póngalas sobre una rejilla para que se enfríen.

CHOCOLATE Y CACAO EN POLVO

98

Además de ser un placer para el paladar, los granos de cacao contienen flavonoides, magnesio y hierro, que protegen contra las cardiopatías.

El chocolate se obtiene de los granos de cacao, que son ricos en flavonoides antioxidantes, fibra y minerales. El proceso de elaboración del chocolate también aporta procianidinas, que tienen acción antiinflamatoria. El chocolate contiene cafeína, y una tableta de 100 g de chocolate amargo posee tanta como una taza de café. El cacao en polvo es bajo en grasas, rico en minerales y antioxidantes; y para los amantes del chocolate que quieran controlar su consumo de grasas, una bebida de cacao con leche desnatada es una buena alternativa.

- Su contenido en antioxidantes puede tener acción anticoagulante.
- Su contenido en magnesio protege el corazón.
- Su contenido en hierro mantiene los niveles de energía.
- Contiene teobromina, un estimulante que es diurético.

Consejos prácticos:
Algunos tipos de chocolate contienen muchos más nutrientes que otros. En general, cuantos más sólidos de cacao contenga el chocolate, más antioxidantes y minerales tendrá. Esto significa que el chocolate con un 70 % de cacao sólido es una buena fuente, pero el chocolate con leche, no. La manteca de cacao tiene un alto contenido en grasas totales y saturadas, así que incluso el chocolate amargo debería comerse en cantidades moderadas. El chocolate blanco es una mezcla de manteca de cacao y leche sólida, y posee muy pocos nutrientes saludables.

VALOR NUTRITIVO DE 15 G DE CACAO EN POLVO

Kcal	34
Grasas totales	2 g
Proteínas	3 g
Carbohidratos	8 g
Fibra	5 g
Calcio	19 mg
Magnesio	22 mg
Potasio	229 mg
Hierro	2 mg
Zinc	1 mg

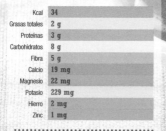

Pollo con guindilla y chocolate

6-8 PERSONAS

1 cabeza de ajo entera

1 pollo de unos 2 kg

4 ramitas de menta fresca

½ cucharadita de granos de
   pimienta negra

2-3 clavos de olor

sal

tortitas de harina de maíz calientes
   y guacamole, para acompañar

Salsa

3-4 cucharadas de aceite de oliva

1 cebolla grande, en aros finos

1 pimiento (morrón, pimiento morrón)
   rojo, sin pepitas y en dados

500 g de tomates frescos o en
   conserva pelados y troceados

1 plátano (banana) pelado, a trozos

200 g de almendras peladas,
   tostadas y machacadas

1 cucharadita de semillas de comino

1 cucharadita de granos de
   pimienta de Jamaica

1 tortita de harina de maíz blanda
   troceada, o 1 cucharada de
   chips de tortita

50 g de guindillas (chiles) seca,
   sin pepitas, hervidas durante
   20 minutos y escurridas

2 cucharadas de pasas

la ralladura fina de 1 naranja

1 l de caldo

2 cucharadas de cacao en polvo o
   50 g de chocolate semiamargo
   de buena calidad

Preparación

1 Precaliente el horno a 180 °C. Haga una incisión alrededor del centro de la cabeza de ajos. Corte el pollo en 12 trozos, aclárelo y póngalo en una olla con suficiente agua fría para cubrirlo. Llévelo a ebullición, añada el ajo, la menta, los granos de pimienta, los clavos de olor y un poco de sal. Llévelo de nuevo a ebullición, baje el fuego, tape la olla y déjelo cocer de 30 a 40 minutos. Póngalo en una bandeja de horno. Cuele el caldo y resérvelo.

2 Para elaborar la salsa, caliente 2 cucharadas de aceite en una sartén. Añada la cebolla y rehóguela a fuego lento entre 10 y 15 minutos. Sáquela con una espumadera y resérvela. Recaliente los jugos con aceite en la olla, agregue el pimiento y rehóguelo 5 o 6 minutos. Incorpore los tomates y el plátano, y caliéntelo hasta que burbujee; baje el fuego, tape la olla y déjelo hacerse 20 minutos.

3 Caliente una sartén antiadherente a fuego medio-vivo. Añada las almendras y las especias, y tuéstelas. Páselas por el robot de cocina.

4 Pase la cebolla y la mezcla de tomate por el robot de cocina. Incorpore la tortita, las guindillas con su agua y bata hasta obtener una mezcla homogénea.

5 Ponga el resto del aceite en la sartén y caliéntelo. Incorpore las especias y los frutos secos triturados, y saltéelos 1 o 2 minutos. Agregue la mezcla de tomate y caliéntela hasta que burbujee, baje el fuego y déjelo cocer 5 minutos. Añada las pasas, la ralladura de naranja y 1 l de caldo. Llévelo a ebullición, baje el fuego y déjelo cocer a fuego lento 20 minutos, hasta que el líquido se haya reducido un tercio. Incorpore el cacao y caliente un poco.

6 Vierta la salsa sobre el pollo en la fuente, tápelo y métalo en el horno precalentado entre 20 y 25 minutos. Sirva con tortitas calientes y guacamole.

99

ACEITE DE OLIVA

Famoso por su alto contenido en grasas monoinsaturadas que protegen el corazón, el aceite de oliva virgen también contiene diversos antioxidantes y vitamina E.

El principal tipo de grasa contenida en el aceite de oliva es la monoinsaturada, que impide que el colesterol se deposite en las paredes de las arterias y protege contra enfermedades cardio-vasculares y apoplejías. Además, los primeros prensados de las aceitunas (como es el caso del aceite de oliva virgen, especialmente el aceite «prensado en frío») producen un aceite rico en compuestos vegetales beneficiosos. Dichos compuestos protegen contra el cáncer y la hipertensión, reducen el colesterol, y el oleocantal es un antiinflamatorio cuya acción es similar al ibuprofeno. Por último, el aceite de oliva es una buena fuente de vitamina E.

- Ayuda a mejorar los niveles de colesterol en sangre y protege contra enfermedades cardiovasculares.
- Es rico en polifenoles, que protegen contra el cáncer de colon.
- Ayuda a prevenir la *H. pylori*, causante de úlceras de estómago.
- Es antibacteriano y antioxidante

Consejos prácticos:
El aceite de oliva debe conservarse en un lugar oscuro, y consumir-se en uno o dos meses. Al comprar aceite de oliva, elija una tienda que lo conserve con poca luz y tenga una gran rotación de existencias. Para conseguir sus máximos beneficios, consúmalo frío en aliño de ensalada o bien con pan o verduras. No utilice aceite de oliva virgen extra para cocinar a temperaturas elevadas, ya que las sustancias químicas beneficiosas se destruirán.

¿SABÍA QUE...?
Se ha descubierto que la luz destruye muchos de los compuestos del aceite de oliva que ayudan a combatir las enfermedades. Se demostró que tras un año, los aceites almacenados en un lugar con luz habían perdido un 30 % de sus antioxidantes.

VALOR NUTRITIVO DE 15 ML DE ACEITE DE OLIVA

Kcal	130
Grasas totales	15 g
Vitamina E	2,1 g

Aceite de oliva con limón y pimienta

250 ML (V) (D) (E) (N)

la cáscara de 1 limón

1 limón entero

*2 cucharaditas de granos de
pimienta de varios colores*

250 ml de aceite de oliva

Preparación

1 Prepare un baño María.
Lleve a ebullición el agua del
recipiente inferior, baje el fuego
y deje hervir a fuego lento.

2 Corte en tiras la cáscara
de limón, y deseche la parte
blanca. Corte el limón en

rodajas finas. Maje los granos
de pimienta en un mortero.
Ponga las tiras de cáscara de
limón, las rodajas de limón, los
granos de pimienta y el aceite
en el recipiente superior del
baño María. Tápelo y deje
cocer sobre el agua hirviendo
1 hora. Si dispone de un
termómetro digital, compruebe
la temperatura del aceite. Al
sacarlo del baño María debería
estar a 120 °C. Asegúrese de
que no se quema.

3 Apártelo del fuego, déjelo
enfriar y páselo a un tarro
limpio a través de un colador
forrado con estopilla. Tápelo
y consérvelo en el frigorífico.
También puede dejar la
cáscara de limón y la pimienta
en el tarro, conservarlo en el
frigorífico y colarlo antes de
utilizarlo. Puede untar con él
los filetes de pescado blanco
o las pechugas de pollo antes
de cocinarlos.

100

ACEITE DE COLZA

Es uno de los aceites más sanos, rico en grasas monoinsaturadas y omega-3, que protegen contra cánceres, cardiopatías y otras dolencias.

El aceite de colza no se había considerado un alimento saludable hasta hace poco, cuando creció el número de agricultores europeos que empezaron a producirlo como alternativa económica al aceite de oliva. De hecho, el aceite de colza tiene, en muchos sentidos, un «perfil más saludable» que el de su rival. Tiene casi tantas grasas monoinsaturadas como el aceite de oliva y contiene más cantidad del ácido graso esencial omega-3 alfalinoleico que cualquier otro aceite utilizado en cantidad con fines culinarios. El aceite de colza también tiene un equilibrio perfecto entre grasas omega-6 y omega-3, y tiene menos grasas saturadas que cualquier otro aceite de uso común. También es una buena fuente de vitamina E.

- Posee un excelente equilibrio de grasas esenciales.
- Es bajo en grasas saturadas.
- Constituye una buena fuente de vitamina E, antioxidante.
- Tiene un alto contenido en grasas omega-3.

Consejos prácticos:
El aceite de colza refinado es una buena elección para cocinar, ya que no se estropea cuando se calienta. El aceite de colza virgen extra prensado en frío es ideal para aderezar ensaladas y para añadir en crudo sobre diversos alimentos. Su sabor a nueces va especialmente bien con los espárragos y los corazones de alcachofa. Es ideal para hacer mayonesa, ya que es suave.

¿SABÍA QUE...?

La colza es una planta anual que pertenece a la familia de las brasicáceas. Sus flores, de color amarillo brillante, tiñen los campos de dorado.

VALOR NUTRITIVO DE 15 ML DE ACEITE DE COLZA

Kcal	130
Grasas totales	15 g
Vitamina E	2,6 mg

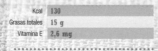

Aceite de colza con ajo, guindilla y orégano

250 ML   (V) (D) (E) (N)

5 dientes de ajo
2 cucharadas de guindilla (chile)
  roja
1 cucharadita de orégano seco
250 ml de aceite de colza

Preparación

1 Precaliente el horno a 150 °C.

2 Corte los dientes de ajo por la mitad a lo largo. Con unos quantes, quite las pepitas de las guindillas y pique su carne hasta obtener dos cucharadas.

3 Mezcle el ajo, la guindilla, el orégano y el aceite en una fuente de vidrio refractaria. Ponga la fuente en el centro del horno precalentado durante 1 hora y media o 2 horas. Si dispone de un termómetro digital, compruebe la temperatura del aceite. Al sacarlo del horno debería estar a 120 °C.

4 Sáquelo del horno, déjelo enfriar y páselo a un tarro limpio a través de un colador forrado con estopilla. Tápelo y consérvelo en el frigorífico.

GLOSARIO

Ácido alfalinoleico Tipo de grasa poliinsaturada omega-3. Uno de los ácidos grasos esenciales que necesitamos en pequeñas cantidades para mantener la salud, ya que nuestro organismo no puede fabricarlo.

Ácido elágico Polifenol antioxidante con buenas propiedades anticancerígenas presente en muchas frutas/bayas rojas y en algunos frutos secos.

Ácido graso esencial/grasa esencial Grasas esenciales que nuestro organismo necesita para mantener la salud y que deben ser aportadas por la alimentación.

Ácidos grasos monoinsaturados/grasas monoinsaturadas Tipo de grasa que se encuentra en muchos alimentos, pero que cuando se halla en grandes cantidades como en el aceite de oliva, los aguacates y algunos frutos secos, tiene un efecto beneficioso en los niveles de colesterol y las enfermedades cardiovasculares.

Aminoácidos Los 22 «bloques de construcción» de las proteínas que contienen los alimentos proteínicos en diversas combinaciones y cantidades. Sólo 8 de los 22 aminoácidos son esenciales en nuestra dieta y sólo pueden encontrarse en los alimentos.

Antioxidante Sustancia que protege el organismo contra los efectos de los radicales libres, las toxinas y los contaminantes.

Antocianina Pigmento morado, rojo o azul existente en algunos alimentos que es un potente antioxidante.

Betacaroteno *Véase* carotenos.

Betacriptoxantina/criptoxantina Fuerte antioxidante con especial efecto en la reducción del riesgo de desarrollar determinados tipos de cáncer.

Betaglucanos Tipo de fibra soluble que se encuentra en algunas plantas, incluida la avena y la cebada en grano.

Betasitosterol Esterol vegetal que se encuentra en determinados frutos secos, semillas y otras plantas, capaz de reducir el colesterol en la sangre.

Bioflavonoide/flavonoide Grupo de compuestos formado por miles de antioxidantes que se encuentran en frutas, verduras y otros alimentos vegetales.

Carotenos/carotenoides Pigmentos de color amarillo/rojo/naranja que se encuentran en diversos alimentos vegetales como las zanahorias, que aportan distintos beneficios para la salud.

Catequina Compuesto del grupo de los flavonoides que se encuentra en el té y en otras plantas, y protege contra las enfermedades cardiovasculares.

Colesterol Sustancia grasa presente en muchos alimentos de origen animal fabricada por el hígado humano. Es esencial para el organismo pero, en determinadas circunstancias, puede fomentar el desarrollo de cardiopatías isquémicas. *Véase* colesterol «bueno» y «malo».

Colesterol «bueno»/HDL Lipoproteínas de alta densidad que se adhieren al colesterol y lo transportan por la sangre. Mantienen las arterias limpias y protegen contra enfermedades cardiovasculares.

Colesterol «malo»/LDL Lipoproteínas de baja densidad que transportan grasas como el colesterol en la sangre. Los niveles elevados de colesterol «malo» están asociados a la ateroesclerosis (engrosamiento de las arterias) y las cardiopatías.

Compuesto fenólico/fenol Grupo de compuestos vegetales antioxidantes, incluido el resveratrol, presentes en las uvas.

Daidzeína Isoflavona vegetal que tiene efectos similares a los del estrógeno, pero más suaves.

DHA Ácido docosahexaenoico. Ácido graso omega-3 de «cadena larga» que se encuentra en el pescado azul y aporta diversos beneficios para la salud.

EPA Ácido eicosapentaenoico. Ácido graso omega-3 de «cadena larga» que se encuentra en el pescado azul y aporta diversos beneficios para la salud.

Escala de antioxidantes *Véase* ORAC.

Esteroles/esteroles vegetales/ fitosteroles Grupo de compuestos vegetales que pueden reducir el colesterol en el organismo.

Estrógeno Hormona producida en las mujeres por los ovarios.

Fibra insoluble Consiste principalmente en celulosa y es la parte no digerible de algunos alimentos vegetales que atraviesa el sistema digestivo, absorbiendo agua y dando sensación de saciedad.

Fibra soluble Tipo de fibra de efecto beneficioso en la salud digestiva y en los niveles de colesterol.

Fitoquímico/fitonutriente Compuestos químicos vegetales que aportan beneficios para la salud humana, pero que son diferentes de las vitaminas y los minerales.

Genisteína *Véase* daidzeína.

Homocisteína Aminoácido que se sintetiza en nuestro organismo. Sus altos niveles en sangre son un claro factor de riesgo de sufrir enfermedades cardiovasculares.

Índice glicémico (IG) Sistema de clasificación de alimentos con hidratos de carbono en función de su efecto en los niveles de azúcar en sangre.

Indoles Compuestos vegetales que se encuentran en la col y en otras verduras verdes, y tienen propiedades anticancerígenas.

Insulina Hormona producida por el páncreas que regula los niveles de azúcar en sangre.

Inulina Tipo de hidrato de carbono que actúa como fibra dietética y prebiótico en nuestro sistema digestivo.

L-tirosina/tirosina Aminoácido que ayuda a mejorar la función cerebral y los niveles de energía.

Licopene Tipo de caroteno que se encuentra en verduras y frutas naranjas/rojas, que ayuda a prevenir el cáncer de próstata.

Lignano Tipo de estrógeno vegetal que se halla en algunas semillas, cereales, frutas y verduras.

Luteína *Véase* carotenos.

Metabolismo Cambios químicos que se producen en el organismo, durante los cuales se descomponen los alimentos y las bebidas.

Omega-3 Tipos de grasa poliinsaturada que son vitales para el funcionamiento normal del organismo. Aportan diversos beneficios para la salud y protegen contra diversas enfermedades.

ORAC La Capacidad de Absorción de Radicales de Oxígeno (Oxygen Radical Absorbance Capacity), un método internacional de medición del efecto antioxidante de los alimentos vegetales según su capacidad para neutralizar los radicales libres.

Patógeno Agente biológico que causa enfermedades o dolencias a su huésped.

Pectina Tipo de fibra soluble contenida en gran cantidad en cítricos y manzanas.

Polifenol Grupo de sustancias químicas vegetales que incluye bioflavonoides, fenoles, quercetina y taninos.

Poliinsaturada Tipo de grasa, que se encuentra en la mayoría de variedades de aceite vegetal, habitualmente alta en ácidos grasos omega-6.

Prebióticos Compuestos presentes en varios alimentos, que estimulan el crecimiento de bacterias beneficiosas en los intestinos.

Probióticos Bacterias intestinales «buenas» que refuerzan el sistema inmunitario y aportan otros beneficios para la salud.

Quercetina Antioxidante que se encuentra en el té, las cebollas y las manzanas.

Radical libre Átomos o moléculas del organismo que, en exceso, influyen en la aparición de enfermedades y el proceso de envejecimiento.

Saponinos Compuestos vegetales que inhiben el crecimiento de los tumores y se encuetran en las legumbres y otros alimentos.

Sistema inmunitario Procesos que tienen lugar en nuestro organismo y nos protegen contras las enfermedades.

Sulforafano Compuesto vegetal que tiene propiedades anticancerígenas y antidiabéticas.

Sulfuros/organosulfuros Compuestos antioxidantes e inmunoestimulantes que se encuentran en alimentos como las cebollas y el ajo.

Taninos Compuestos vegetales presentes en alimentos como el té, el vino y las legumbres, que pueden inhibir la absorción de minerales pero tienen diversos efectos beneficiosos para la salud.

Triptofana Aminoácido que ayuda a fomentar la relajación y mejora el estado de ánimo.

Zeaxantina *Véase* carotenos.

ÍNDICE